本 試 験 型

’25年版

漢字検定

試験問題集

5級

成美堂出版

目次

「5級」試験問題・最新の傾向――――✻

●受検者数と合格率

２０２３年度の漢字能力検定試験の志願者数は約１４１万5千人になりました。そのうちの約14万2千人が「5級」を受検し、7割強の人が合格しています。

7割強の合格率ですが、「5級」は漢字の数も多く、油断はできません。漢字の学習はもちろん、試験当日にあわてないよう、どのような問題が出題されるのかを知って対策を練っておくことも大切です。

●最新のテスト傾向

平成29年改訂の小学校学習指導要領が２０２０年度から全面実施されたことにともない、漢字検定5級でも一部の漢字の配当級が変更されました。「城」が5級配当漢字から外れ、「胃」「腸」「恩」「券」「承」「舌」「銭」「退」「敵」「俵」「預」が下級から加わりました。また、２０１9年度試験まで2級～4級配当漢字であった「茨」「媛」「岡」「熊」「埼」「鹿」「栃」「奈」「梨」「阪」「阜」「潟」「佐」「崎」「滋」「縄」「岐」「香」「井」「沖」が7級配当漢字となり、5級で出題される可能性もあります。特に7級に加わった漢字は都道府県名に使う漢字であるため、しっかりと覚えましょう。

5級の出題内容

1 小学校卒業程度のレベル

漢字検定5級に出る漢字は、小学校一年生から六年生までに習う漢字です。全部で一〇二六字あります。これらの漢字をどれだけ理解しているかを見る試験です。レベルとしては、小学校を卒業した程度の漢字の試験といえるでしょう。

2 重要なのは「5級配当漢字」

小学校で習う漢字のうち、六年生で習う漢字が一九一字あります。じつは、これが5級では非常に重要な漢字で、「5級配当漢字」といいます。5級の試験問題の90％は、この「5級配当漢字」です。

3 「読み」の中心は「5級配当漢字」

短い文章のなかの漢字の読みを答えます。また、二字熟語（模型、米俵など）の音読み、訓読みを見わける問題や、漢字の意味を考える前に漢字が読めないとこまる問題などが出ます。「読み」の問題の中心になっているのは「5級配当漢字」です。

4 「書き」は5年生以下で習う漢字も

短い文章のなかのカタカナのところや、四字の熟語のカタカナのところ（タン生記念、遊ラン飛行など）を漢字になおす問題が出ます。短い文章のなかのカタカナのところを、漢字と送りがなで答える問題も出ます。五年生以下で習う漢字の書き取りもあります。

5 「画数」「部首」も「5級配当漢字」から

「画数」では太くした画が何画目かを答えるのと、総画数の問題が出ます。「部首」は漢字の部首と部首名を選んで答える問題です。どちらの問題にも「5級配当漢字」が多く使われています。

108ページからの「5級配当漢字表」でしっかり勉強しましょう。

級別出題内容（一例）

「ー」は出題されません
9・10級は省略

級＼内容	短文中の漢字の読み	筆順・画数	漢字識別	部首・部首名	熟語の構成	漢字と送りがな	対義語・類義語	三・四字熟語	同音・同訓異字	誤字訂正	短文中の書き取り	対象漢字数
8級	短文中の漢字の読み	筆順・画数	ー	同じ部首の漢字	ー	送りがな	対義語	ー	音訓判断	ー	短文中の書き取り	四四〇字
7級	短文中の漢字の読み	筆順・画数	漢字えらび	同じ部首の漢字	ー	送りがな	対義語	二字熟語	音訓判断	ー	短文中の書き取り	六四二字
6級	短文中の漢字の読み	筆順・画数	漢字えらび	部首・部首名	熟語の構成	漢字と送りがな	対義語・類義語	三字熟語	同音・同訓異字	ー	短文中の書き取り	八三五字
5級	**短文中の漢字の読み**	**筆順・画数**	**漢字えらび**	**部首・部首名**	**熟語の構成**	**漢字と送りがな**	**対義語・類義語**	**四字熟語の**	**同音・同訓異字**	**ー**	**短文中の書き取り**	**一、〇二六字**
4級	短文中の漢字の読み	ー	漢字識別	部首・部首名	熟語の構成	漢字と送りがな	対義語・類義語	四字熟語	同音・同訓異字	誤字訂正	短文中の書き取り	一、三三九字
3級	短文中の漢字の読み	ー	漢字識別	部首	熟語の構成	漢字と送りがな	対義語・類義語	四字熟語	同音・同訓異字	誤字訂正	短文中の書き取り	一、六二三字
準2級	短文中の漢字の読み	ー	ー	部首	熟語の構成	漢字と送りがな	対義語・類義語	四字熟語	同音・同訓異字	誤字訂正	短文中の書き取り	一、九五一字
2級	短文中の漢字の読み	ー	ー	部首	熟語の構成	漢字と送りがな	対義語・類義語	四字熟語	同音・同訓異字	誤字訂正	短文中の書き取り	二、一三六字

級											対象漢字数
準1級	読み	書き取り	熟字訓・当て字	熟語の読み・一字訓読み	国字	誤字訂正	同音・同訓異字	四字熟語	故事・ことわざ	文章題（書き・読み）	約三、〇〇〇字
1級	読み	書き取り	熟字訓・当て字	熟語の読み・一字訓読み	国字	誤字訂正	同音・同訓異字	四字熟語	故事・ことわざ	文章題（書き・読み）	約六、〇〇〇字

本書は出題が予想される形式で構成しています。実際の試験は、日本漢字能力検定協会の審査基準の変更の有無にかかわらず、出題形式や問題数が変更されることもあります。

5級の採点基準

1 はねる・とめるも採点

答えの漢字は、かい書体ではっきりと書かないといけません。くずした字や、らんざつな字は×です。一画一画、はねる、とめる、はなす、続けるなどに気をつけて、ていねいに書きましょう。もちろん、点が抜けていたり、いらない点があったりすると×です。

2 常用漢字以外の答えは×

答えに常用漢字でない字を書くと×になります。常用漢字とは、日常で使う漢字を決めたもので、小学校、中学校の教科書に使用されている漢字です。

3 「読み」「送りがな」の採点

常用漢字表にない読みは×です。たとえば「頭」の字を「こうべ」と読むのは常用漢字表にない読み方です。送りがなは「送り仮名(がな)の付け方」（内閣告示）が採点基準です。

4 「部首」「筆順」の採点

「部首」は「漢検要覧2～10級対応」（日本漢字能力検定協会発行）で示しているものを正解としています。「筆順」は「筆順指導の手引」（旧文部省編）が基準になります。

5 合格ラインは正解率70％前後

合格点は正解率70％前後以上です。5級は二〇〇点満点なので、一四〇点前後が合格ラインで、これ以上だと合格です。

はねる
寸詞危刻

とめる
系針衆株

続けない
否敬句派

ふだんから文字をかい書体（点画をくずさない書き方）で書く練習をしましょう。

5級の実施要項

1 受検資格・申込方法

小学校、中学校、高等学校、専門学校などの児童、生徒から大学生、社会人まで、国籍を問わず、だれでも受検できます。個人で受検する場合は日本漢字能力検定協会のホームページ（https://www.kanken.or.jp/kanken/）から申し込みを行います。

2 受検方法

個人受検には①「公開会場」での受検、②「漢検CBT」（自分の都合のよい日程でテストセンターで受検）、③「漢検オンライン（個人受検）」（自宅で受検。タブレットなどが必要）の三種があります。3以降では①公開会場での受検を説明します。

3 申込期間

申込期間は検定日の約二か月前から約一か月前まで。申込締切日までは、「マイページ」上で「住所」、「電話番号」、「受検地」の変更および、「検定料が同じ級」への変更、申込キャンセルが可能です。「検定料が異なる級」への変更は、元の受検級のキャンセル後に再申し込みが必要です。

4 検定日・検定料

漢字検定は毎年三回行われています。検定料の支払いはクレジットカードやコンビニ店頭などで行います。検定料は変わることがあるので、漢字検定の広告や問い合わせ先（下記）、ホームページなどで確かめてください。

5 受検会場・検定時間

漢字検定は全国のおもな都市で行っており、申込時に希望の受検地を選べます。「マイページ」や受検票で受検会場が案内されます。検定時間は六〇分です。

6 合格発表

検定日から約五日後に標準解答がweb上で公開されます。また約三〇日後にはweb上で合否がわかります。

検定日から約四〇日後、合格者には合格証書、合格証明書、検定結果通知などが、また不合格者には検定結果通知が郵送されます。

漢字検定についての問い合わせ先 ☞ 公益財団法人　日本漢字能力検定協会

〈本　　部〉 〒605-0074 京都市東山区祇園町南側551番地

〈ホームページ〉 https://www.kanken.or.jp/

ホームページにある「よくある質問」を読んで該当する質問がみつからなければメールフォームでお問合せください。電話でのお問合せ窓口は0120-509-315（無料）です。

※本書の情報は2024年10月現在のものです。

テストに入る前に

①テストに取りかかる前に、108ページからの「チカラをつけよう」に目を通されることをおすすめします。

②解答は一画一画ていねいに書きましょう。

③解答時間を守りましょう。

④最後の第16回までやりとげましょう。

⑤自己採点は厳格に行いましょう。（別冊の解答と照合する）

⑥まちがえたところは二度とまちがえないように心がけましょう。

チカラがつく テスト&資料

答えに、常用漢字の旧字体や常用漢字以外の漢字および常用漢字表にない読みを使ってはいけません。

テストの構成

(一)読み
(二)部首と部首名
(三)画数
(四)漢字と送りがな
(五)音と訓
(六)四字の熟語
(七)対義語・類義語
(八)熟語作り
(九)熟語の構成
(十)同じ読みの漢字
(十一)漢字

5級

第1回★テスト（60分）

◇合計点◇

（200点満点の　　点）

- 140点以上　合格
- 110点以上　合格まであと一歩
- 80点以上　さらに努力を
- 79点以下　受検級を考え直しましょう

1×20

□ /20

(一) 次の――線の漢字の読みをひらがなで書きなさい。

1 母の遺品を大切にしている。（　）
2 地域の会合に出席する。（　）
3 宇宙旅行も夢ではないようだ。（　）
4 ノートに縦と横の線を引く。（　）
5 事故で身の縮む思いをする。（　）
6 新しい種類の音楽を創る。（　）
7 テレビゲームに我を忘れる。（　）
8 川に沿って旅館が並ぶ。（　）
9 事業の拡張に失敗した。（　）
10 病院で臓器移植が行われた。（　）
11 天守閣から町をながめる。（　）
12 県のマラソン大会で優勝した。（　）
13 幼いうちから水泳を習った。（　）
14 風で乱れたかみの毛を直す。（　）
15 遊覧船で湖を一周する。（　）
16 法律を守って行動する。（　）
17 妹は卵料理が大好きだ。（　）
18 旅館の食事に舌つづみをうつ。（　）
19 仁愛の心をもって人に接する。（　）
20 薬味に使うねぎを刻む。（　）

第1回

（二）

1×10　／10

次の漢字の部首と部首名を後の□の中から選び、記号で答えなさい。

〈例〉仲（部首）〔う〕（部首名）〔ク〕

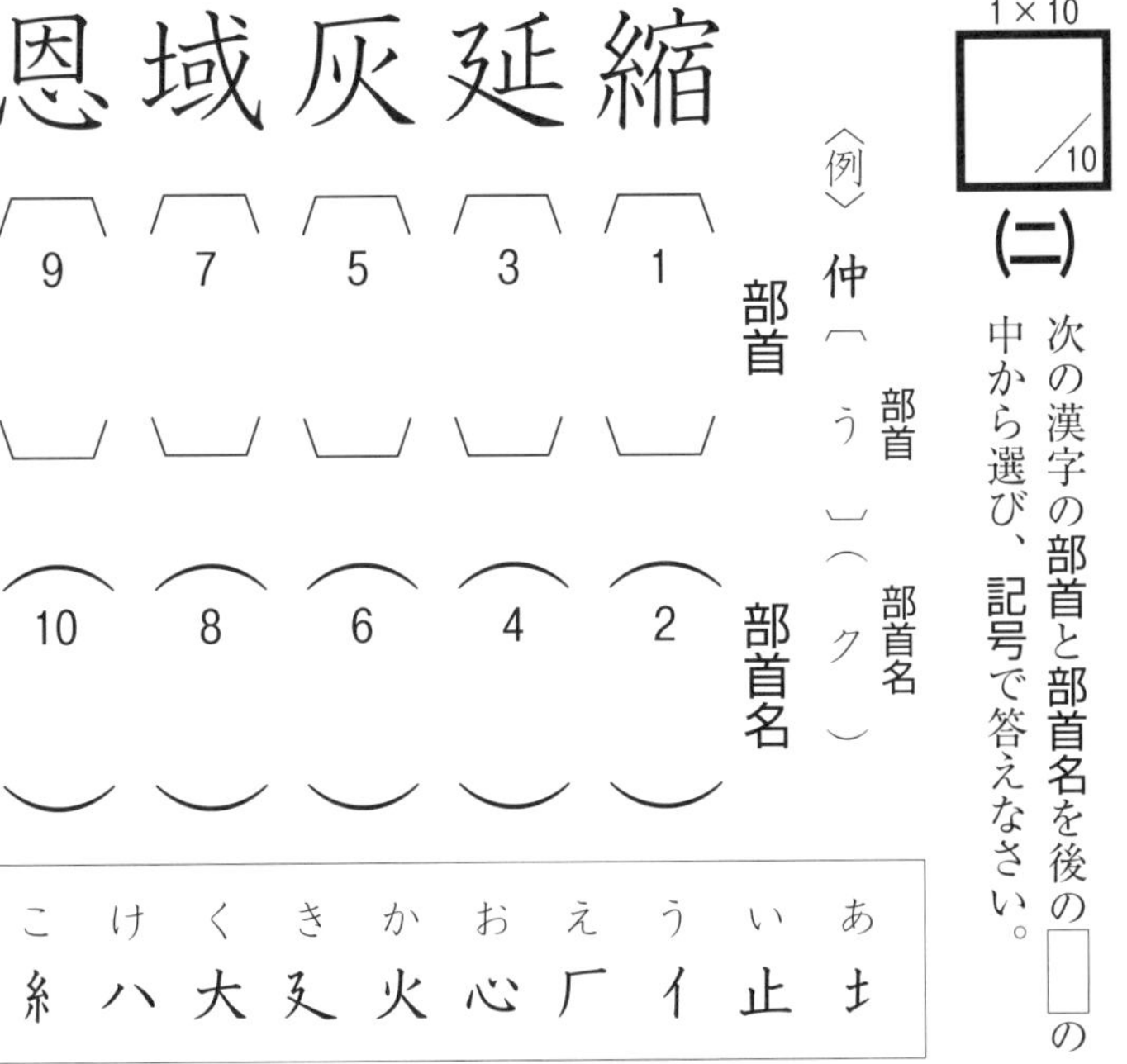

縮　延　灰　域　恩

	縮	延	灰	域	恩
部首	1	3	5	7	9
部首名	2	4	6	8	10

あ 土　い 止　う 亻　え 厂　お 心　か 火　き 廴　く 大　け 八　こ 糸

ア がんだれ　イ こころ　ウ えんにょう
エ つちへん　オ だい　カ ひ　キ いとへん
ク にんべん　ケ は　コ とめる

（三）

1×10　／10

次の漢字の太い画のところは筆順の何画目か、また総画数は何画か、算用数字（1、2、3…）で答えなさい。

〈例〉王（何画目）（2）（総画数）〔4〕

卵　臨　幼　裏　銭

	卵	臨	幼	裏	銭
何画目	1	3	5	7	9
総画数	2	4	6	8	10

10	9	8	7	6	5	4	3	2	1

2×5 /10

(四)

次の——線のカタカナの部分を漢字一字と送りがな(ひらがな)になおしなさい。

〈例〉 運が**ヒラケル**。 開ける

1 家の窓ガラスが**ワレル**。（　　）

2 **アブナイ**山道をゆっくり登る。（　　）

3 重い病気ではないかと**ウタガウ**。（　　）

4 神だなにさかきと水を**ソナエル**。（　　）

5 荷物を**アズケル**場所が見つかった。（　　）

2×10 /20

(五)

漢字の読みには音と訓があります。次の**熟語の読み**は□の中のどの組み合わせになっていますか。ア～エの記号で答えなさい。

ア 音と音	イ 音と訓
ウ 訓と訓	エ 訓と音

1 節目（　　）

2 客足（　　）

3 内閣（　　）

4 野宿（　　）

5 米俵（　　）

6 別物（　　）

7 道順（　　）

8 模型（　　）

9 両手（　　）

10 旅路（　　）

第1回

(六)

2×10 ／20

次のカタカナを漢字になおし、一字だけ書きなさい。

1 帰**タク**時間
2 **タン**任教師
3 首**ノウ**会議
4 **ダン**冬予報
5 価**チ**判断
6 満**チョウ**時刻
7 高**ソウ**建築
8 私利私**ヨク**
9 **タン**生記念
10 五**ダン**活用

10	9	8	7	6	5	4	3	2	1

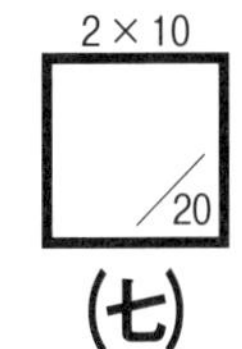

(七)

2×10 ／20

後の□の中のひらがなを漢字になおして、**対義語**（意味が反対や対になることば）と、**類義語**（意味がよくにたことば）を書きなさい。□の中のひらがなは**一度だけ**使い、**漢字一字**を書きなさい。

対義語

1 友好―（　）対
2 正常―（　）常
3 権利―（　）務
4 複雑―（　）単
5 保守―（　）新

類義語

6 不在―（　）守
7 講評―（　）評
8 善戦―（　）戦
9 同士―相（　）
10 助言―（　）告

い　かく　かん　ぎ　ちゅう　てき　ひ　ふん　ぼう　る

10	9	8	7	6	5	4	3	2	1

（八）

2×5 ／10

後の□の中から漢字を選んで、次の意味にあてはまる**熟語**を作りなさい。答えは**記号**で書きなさい。

〈例〉ひつじのけのこと。（羊毛）　シ　サ

1 かけ算とわり算のこと。

2 これから先のこと。

3 わざわいを受けないように守ること。

4 液体がその表面から気体になること。

5 一定の期間ごとに発行する本。

1	2	3	4	5

ア 障　イ 将　ウ 蒸　エ 保　オ 誌　カ 来
キ 乗　ク 雑　ケ 除　コ 発　サ 毛　シ 羊

（九）

2×10 ／20

漢字を二字組み合わせた熟語では、二つの漢字の間に意味の上で、次のような関係があります。

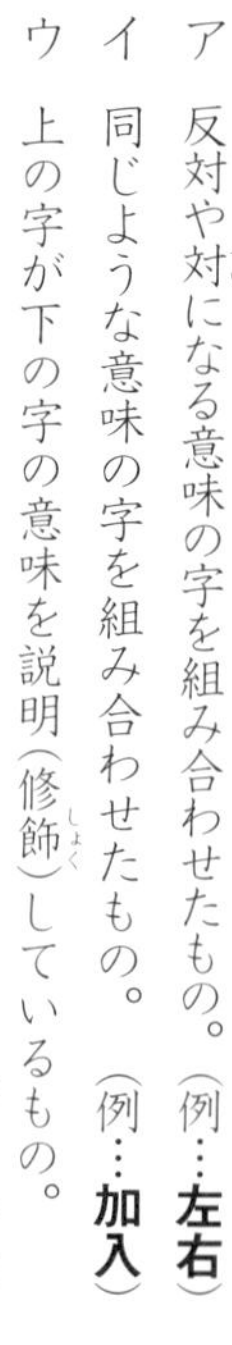
ア 反対や対（つい）になる意味の字を組み合わせたもの。（例…**左右**）
イ 同じような意味の字を組み合わせたもの。（例…**加入**）
ウ 上の字が下の字の意味を説明（修飾（しゅうしょく））しているもの。（例…**小島**）
エ 下の字から上の字へ返って読むと意味がよくわかるもの。（例…**入会**）

次の**熟語**は、右のア〜エのどれにあたるか、**記号**で答えなさい。

1 育児（　）　2 胃腸（　）　3 尊敬（　）
4 増減（　）　5 前後（　）　6 危険（　）
7 山頂（　）　8 乗車（　）　9 存亡（　）
10 映写（　）

（十）

2×10 ／20

次の——線の**カタカナ**を**漢字**になおしなさい。

1 小学校の教**シ**になる夢がある。（　）

2 学校で**シ**力検査を行った。（　）

3 期日までに税金を**オサ**めた。（　　）
4 大学で英文学を**オサ**める。（　　）
5 カメラが内**ゾウ**されている。（　　）
6 心**ゾウ**の病気で入院した。（　　）
7 支持する政**トウ**に投票した。（　　）
8 ケーキに入れる砂**トウ**の分量を調べる。（　　）
9 **シュウ**知を集めて計画する。（　　）
10 世界にはさまざまな**シュウ**教がある。（　　）

2×20　/40

(十) 次の——線のカタカナを漢字になおしなさい。

1 遊園地の**ニュウジョウケン**を買う。（　　）
2 手ぎわよく仕事を**ショリ**する。（　　）
3 すしを**ハラ**いっぱい食べる。（　　）
4 コピーを**ニマイ**とった。（　　）
5 スキー大会が**カイマク**した。（　　）
6 **ミッシツ**で会議をする。（　　）
7 同業者間で**レンメイ**を結ぶ。（　　）
8 実家で**カイコ**を飼っている。（　　）
9 まず宿題を**カタヅ**けよう。（　　）
10 ふぶきで山小屋に**ト**じこめられた。（　　）
11 **ダイキボ**な遊園地が開業した。（　　）
12 **ワタシ**あての手紙が届いた。（　　）
13 今までの損失を**オギナ**う。（　　）
14 いなかでのんびり**ク**らす。（　　）
15 記念の**ユウビン**切手を買う。（　　）
16 二列に**ナラ**んで開門を待つ。（　　）
17 原文と**ヤクブン**を見くらべる。（　　）
18 総理の**ホウベイ**が決まった。（　　）
19 **スナバ**で弟を遊ばせる。（　　）
20 真綿に**ハリ**を包む（　　）

5級

第2回★テスト（60分）

◇合計点◇

（200点満点の　　点）

- 140点以上 合格
- 110点以上 合格まであと一歩
- 80点以上 さらに努力を
- 79点以下 受検級を考え直しましょう

(一) 次の――線の漢字の読みをひらがなで書きなさい。

1×20　　/20

1 台風で看板が落下した。（　）
2 オーケストラを指揮する。（　）
3 貴重品を金庫に入れる。（　）
4 兄弟で株式会社を設立する。（　）
5 春になり湖の氷が割れ始めた。（　）
6 協議して善後策を講じる。（　）
7 体育館で平行棒の練習をする。（　）
8 晴天にめぐまれふとんを干す。（　）
9 寒いので首にマフラーを巻く。（　）
10 争いごとをうまく裁いた。（　）
11 皿を五枚セットで買った。（　）
12 友人に参加を呼びかけた。（　）
13 ふたりだけの秘密の話がある。（　）
14 疑いの目で見ないでほしい。（　）
15 空気をいっぱい吸いこんだ。（　）
16 兄と川の源までさかのぼる。（　）
17 父は製鋼所で働いている。（　）
18 友達の荷物を預かった。（　）
19 今日は動詞の活用を勉強した。（　）
20 宝箱の形をした入れ物をもらった。（　）

1×10 /10

(二) 次の漢字の部首と部首名を後の□の中から選び、記号で答えなさい。

〈例〉仲〔う〕部首〔ク〕部首名

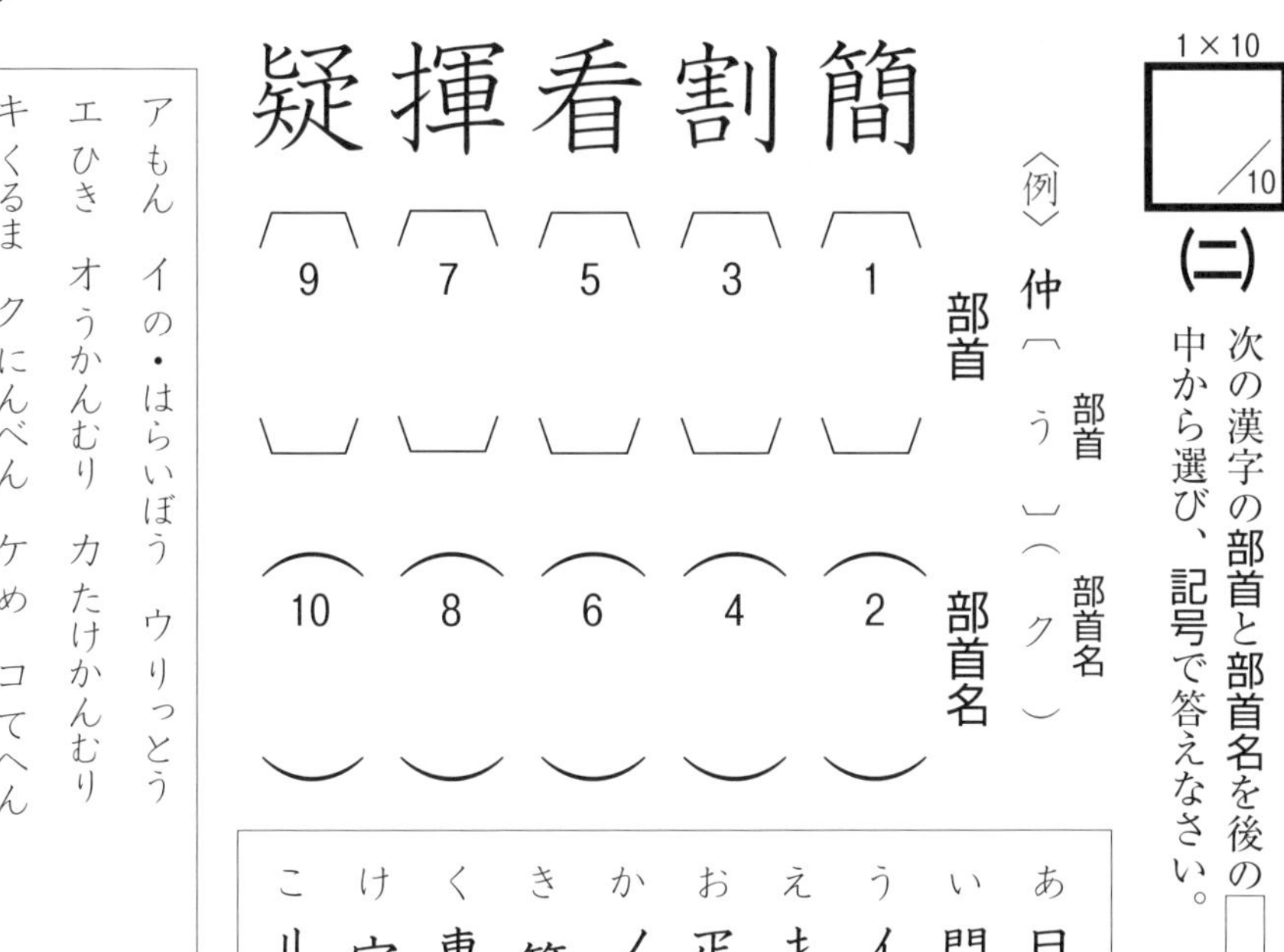

簡 割 看 揮 疑

部首 1 3 5 7 9

部首名 2 4 6 8 10

あ 目　い 門　う 亻　え 扌　お 足　か ノ　き 竹　く 車　け 宀　こ 刂

ア もん　イ の・はらいぼう　ウ りっとう
エ ひき　オ うかんむり　カ たけかんむり
キ くるま　ク にんべん　ケ め　コ てへん

1×10 /10

(三) 次の漢字の太い画のところは筆順の何画目か、また総画数は何画か、算用数字(1、2、3…)で答えなさい。

〈例〉王〔2〕何画目〔4〕総画数

承 延 異 革 閣

何画目 1 3 5 7 9

総画数 2 4 6 8 10

10	9	8	7	6	5	4	3	2	1

2×5 /10

(四)

次の━━線のカタカナの部分を漢字一字と送りがな（ひらがな）になおしなさい。

〈例〉 運が**ヒラケル**。 開ける

1 年の割には**オサナイ**顔をしている。（　　）

2 着物のすそが**ミダレル**。（　　）

3 鏡に**ウツル**自分の姿を見る。（　　）

4 発売日が**ノビル**理由を知りたい。（　　）

5 駅前で本屋を**イトナム**。（　　）

2×10 /20

(五)

漢字の読みには音と訓があります。次の熟語の読みは□の中のどの組み合わせになっていますか。ア〜エの記号で答えなさい。

ア 音と音　イ 音と訓
ウ 訓と訓　エ 訓と音

1 役場（　　）
2 和式（　　）
3 舌先（　　）
4 目薬（　　）
5 若気（　　）
6 幕内（　　）
7 大味（　　）
8 共同（　　）
9 荷物（　　）
10 曜日（　　）

(六) 次のカタカナを漢字になおし、一字だけ書きなさい。

2×10 /20

1 人気絶**チョウ**
2 無**チン**乗車
3 **セン**門学校
4 永久**ジ**石
5 自**コ**主張
6 宇**チュウ**遊泳
7 応急**ショ**置
8 条件反**シャ**
9 **ナン**行苦行
10 加糖練**ニュウ**

10	9	8	7	6	5	4	3	2	1

(七) 後の□の中のひらがなを漢字になおして、**対義語**（意味が反対や対になることば）と、**類義語**（意味がよくにたことば）を書きなさい。□の中のひらがなは**一度**だけ使い、**漢字一字**を書きなさい。

2×10 /20

対義語

回答—（1）問
安全—（2）険
遠洋—（3）岸
大人—子（4）
義務—（5）利

類義語

貯金—（6）金
有名—（7）名
他界—死（8）
役者—俳（9）
判定—（10）評

よ　ゆう　ぼう　ひ　ども　ちょ　しつ　けん　き　えん

10	9	8	7	6	5	4	3	2	1

(八)

2×5 ／10

後の□の中から漢字を選んで、次の意味にあてはまる**熟語**を作りなさい。答えは**記号**で書きなさい。

〈例〉ひつじのけのこと。（羊毛） シ｜サ

1 見当をつけておしはかること。

2 心ばかりのおくりもの。

3 キリスト教の教えを書いた本。

4 まごころがこもってまじめなこと。

5 公式に言いわたすこと。

1	2	3	4	5

ア聖　イ書　ウ量　エ誠　オ実　カ寸
キ推　ク宣　ケ志　コ告　サ毛　シ羊

(九)

2×10 ／20

漢字を二字組み合わせた熟語では、二つの漢字の間に意味の上で、次のような関係があります。

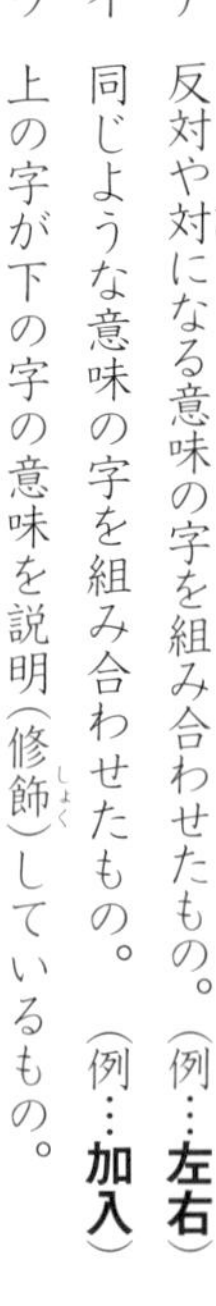

ア 反対や対になる意味の字を組み合わせたもの。（例…**左右**）

イ 同じような意味の字を組み合わせたもの。（例…**加入**）

ウ 上の字が下の字の意味を説明（修飾）しているもの。（例…**小島**）

エ 下の字から上の字へ返って読むと意味がよくわかるもの。（例…**入会**）

次の**熟語**は、右のア～エのどれにあたるか、**記号**で答えなさい。

1 在宅（　）　2 申告（　）　3 永住（　）

4 寒暖（　）　5 公私（　）　6 夜勤（　）

7 生誕（　）　8 洗顔（　）　9 多少（　）

10 防音（　）

(十)

2×10 ／20

次の——線の**カタカナ**を**漢字**になおしなさい。

1 庭木の害虫をとり**ノゾ**く。（　）

2 まだ優勝の**ノゾ**みがある。（　）

3 南西**ショ**島に台風が接近した。（　　）
4 落とし物をしたので警察**ショ**へ行った。（　　）
5 来週には**タイ**院出来るようだ。（　　）
6 不服そうな**タイ**度をしかられる。（　　）
7 敵の大**ショウ**を討(う)ち取る。（　　）
8 友人をパーティーに**ショウ**待した。（　　）
9 **ジョウ**気アイロンを買う。（　　）
10 全校生徒の前で賞**ジョウ**を授与(よ)された。（　　）

2×20　　/40

(十) 次の――線のカタカナを漢字になおしなさい。

1 断然ぼくの方が**ユウセイ**だ。（　　）
2 最近**ショクヨク**が減退した。（　　）
3 **キヌ**のハンカチをいただいた。（　　）
4 **ヨクゲツ**の計画を立てる。（　　）
5 子供の作品を**テンジ**する。（　　）
6 **イチリツ**一万円が支給された。（　　）
7 体験学習で**コメダワラ**の作り方を習う。（　　）
8 父の**リンジュウ**に立ち合う。（　　）
9 詩の**ロウドク**の練習をする。（　　）
10 電車にかさを**ワス**れる。（　　）
11 最近の経済について**ロン**じる。（　　）
12 指定した席に**スワ**る。（　　）
13 失敗の言い**ワケ**はしない。（　　）
14 **イッシャク**は約三十センチメートルだ。（　　）
15 欠席することを学校に**トド**ける。（　　）
16 卒業生の**イチラン**表を作成する。（　　）
17 素(す)直に自分の非を**ミト**める。（　　）
18 **オガ**みたおして承知させる。（　　）
19 祖父は**ベニバナ**農家を営んでいる。（　　）
20 **セ**に腹はかえられぬ（　　）

5級

第3回★テスト（60分）

◇合計点◇

（200点満点の　　点）

- 140点以上　合格
- 110点以上　合格まであと一歩
- 80点以上　さらに努力を
- 79点以下　受検級を考え直しましょう

1×20　　／20

(一) 次の――線の漢字の読みをひらがなで書きなさい。

1 広大な気宇で物事にのぞむ。（　）
2 青系統のシャツを買う。（　）
3 樹氷が朝日にかがやいている。（　）
4 仏だんに花と水を供える。（　）
5 テーブルに食器を並べる。（　）
6 父は長年、市役所に勤めた。（　）
7 劇的なホームランを打った。（　）
8 神仏を敬い、自然を愛する。（　）
9 昨夜は激しい風が吹いた。（　）
10 うわさの否定につとめる。（　）
11 友人の行動を批判する。（　）
12 つりの穴場を見つけた。（　）
13 秘伝のたれで焼き肉を食べる。（　）
14 腹の虫がおさまらない。（　）
15 陛下が開会式に出席された。（　）
16 ドラマの筋書きを読む。（　）
17 密閉容器に食品を入れる。（　）
18 駅で通学用の定期券を買う。（　）
19 勇気を奮って川に飛びこむ。（　）
20 夕日が山々を赤く染めた。（　）

(二)

1×10　／10

次の漢字の部首と部首名を後の□の中から選び、記号で答えなさい。

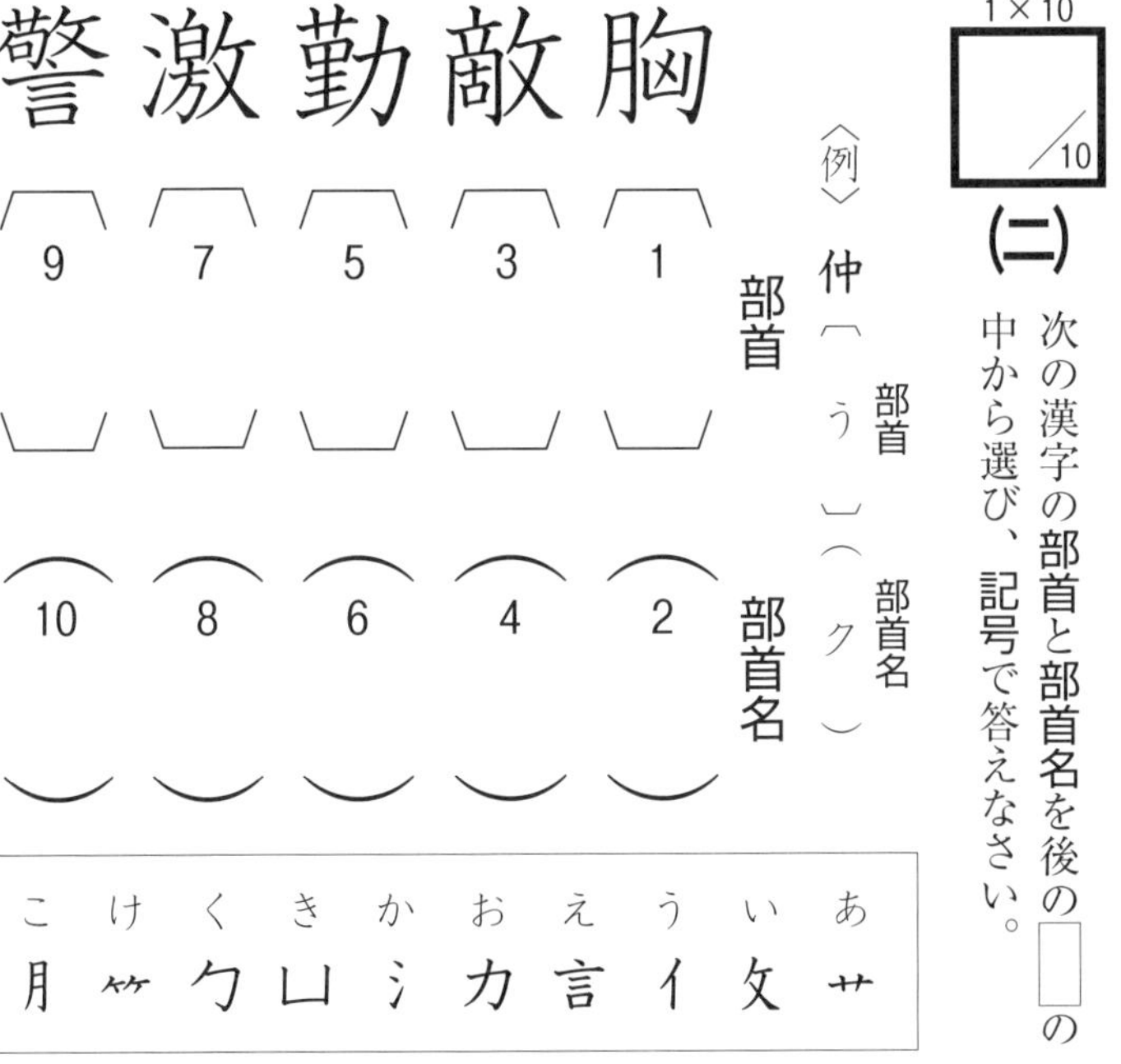

〈例〉仲〔う〕〔ク〕

部首　部首名

胸 1 2　敵 3 4　勤 5 6　激 7 8　警 9 10

あ 艹　い 攵　う 亻　え 言　お 力　か 氵　き 凵　く 勹　け 𥫗　こ 月

ア くさかんむり　イ つつみがまえ　ウ げん
エ のぶん・ぼくづくり　オ たけかんむり
カ にくづき　キ うけばこ　ク にんべん
ケ さんずい　コ ちから

(三)

1×10　／10

次の漢字の太い画のところは筆順の何画目か、また総画数は何画か、算用数字(1、2、3…)で答えなさい。

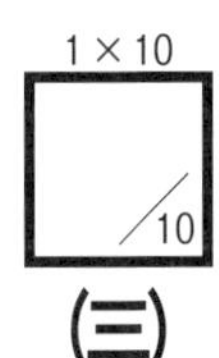

〈例〉王〔2〕〔4〕

何画目　総画数

恩 1 2　割 3 4　簡 5 6　揮 7 8　后 9 10

10	9	8	7	6	5	4	3	2	1

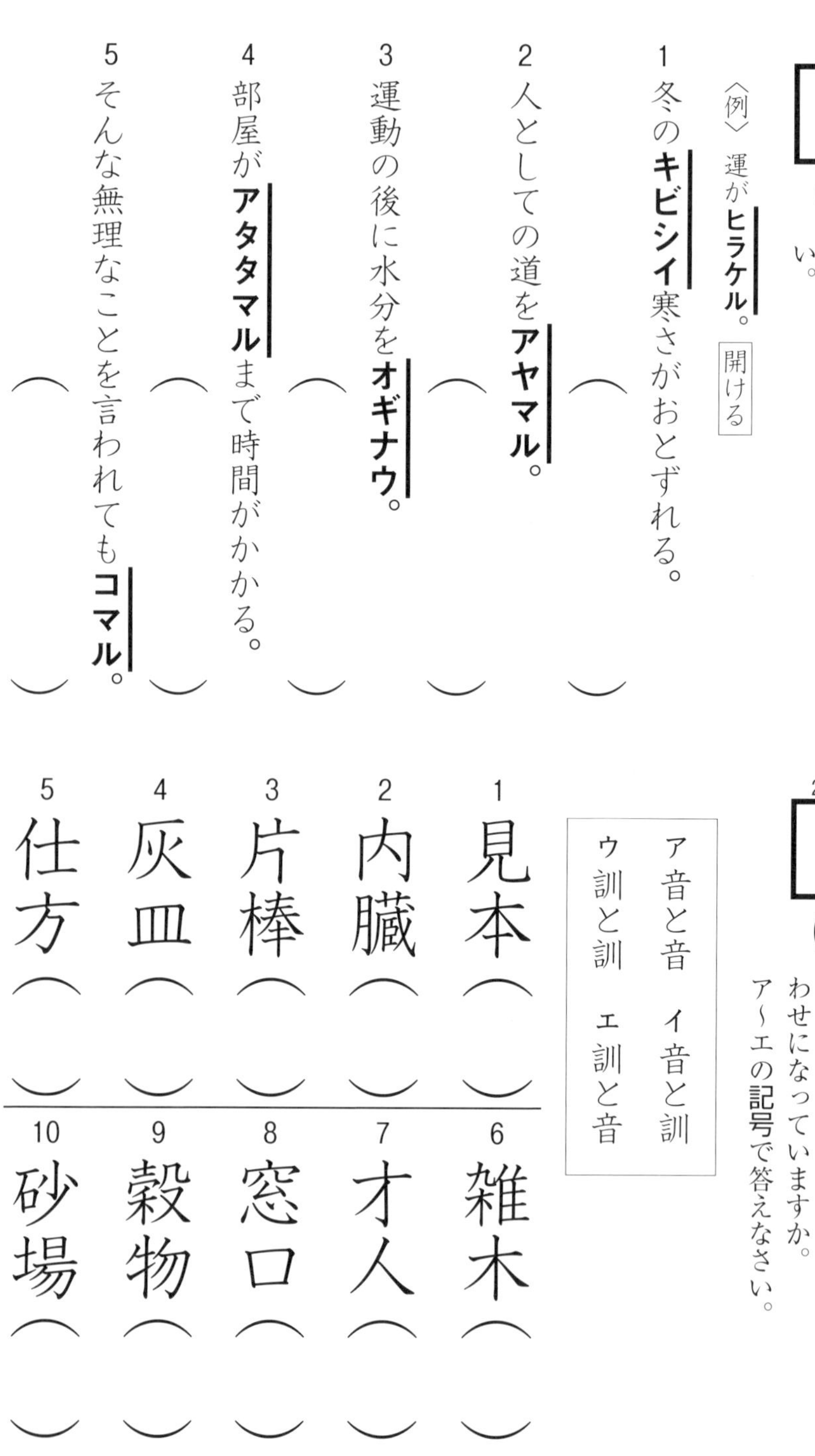

2×5 ／10

(四)

次の――線のカタカナの部分を漢字一字と送りがな(ひらがな)になおしなさい。

〈例〉 運が**ヒラケル**。 開ける

1 冬の**キビシイ**寒さがおとずれる。（　　）

2 人としての道を**アヤマル**。（　　）

3 運動の後に水分を**オギナウ**。（　　）

4 部屋が**アタタマル**まで時間がかかる。（　　）

5 そんな無理なことを言われても**コマル**。（　　）

2×10 ／20

(五)

漢字の読みには**音**と**訓**があります。次の**熟語の読み**は□の中のどの組み合わせになっていますか。ア～エの**記号**で答えなさい。

ア 音と音　イ 音と訓
ウ 訓と訓　エ 訓と音

1 見本（　　）

2 内臓（　　）

3 片棒（　　）

4 灰皿（　　）

5 仕方（　　）

6 雑木（　　）

7 才人（　　）

8 窓口（　　）

9 穀物（　　）

10 砂場（　　）

（六）

2×10　／20

次のカタカナを漢字になおし、一字だけ書きなさい。

1 **シ**力検査
2 **ノウ**死判定
3 反主流**ハ**
4 仏像**ハイ**観
5 速達**ユウ**便
6 月刊雑**シ**
7 **カブ**主総会
8 首**ハン**指名
9 大器**バン**成
10 完全**ネン**焼

1	2	3	4	5	6	7	8	9	10

（七）

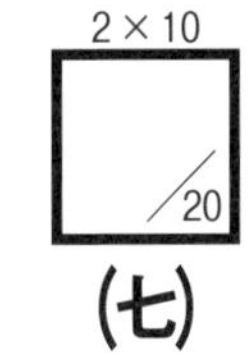

2×10　／20

後の□の中のひらがなを漢字になおして、対義語（意味が反対や対(つい)になることば）と、類義語（意味がよくにたことば）を書きなさい。□の中のひらがなは一度だけ使い、漢字一字を書きなさい。

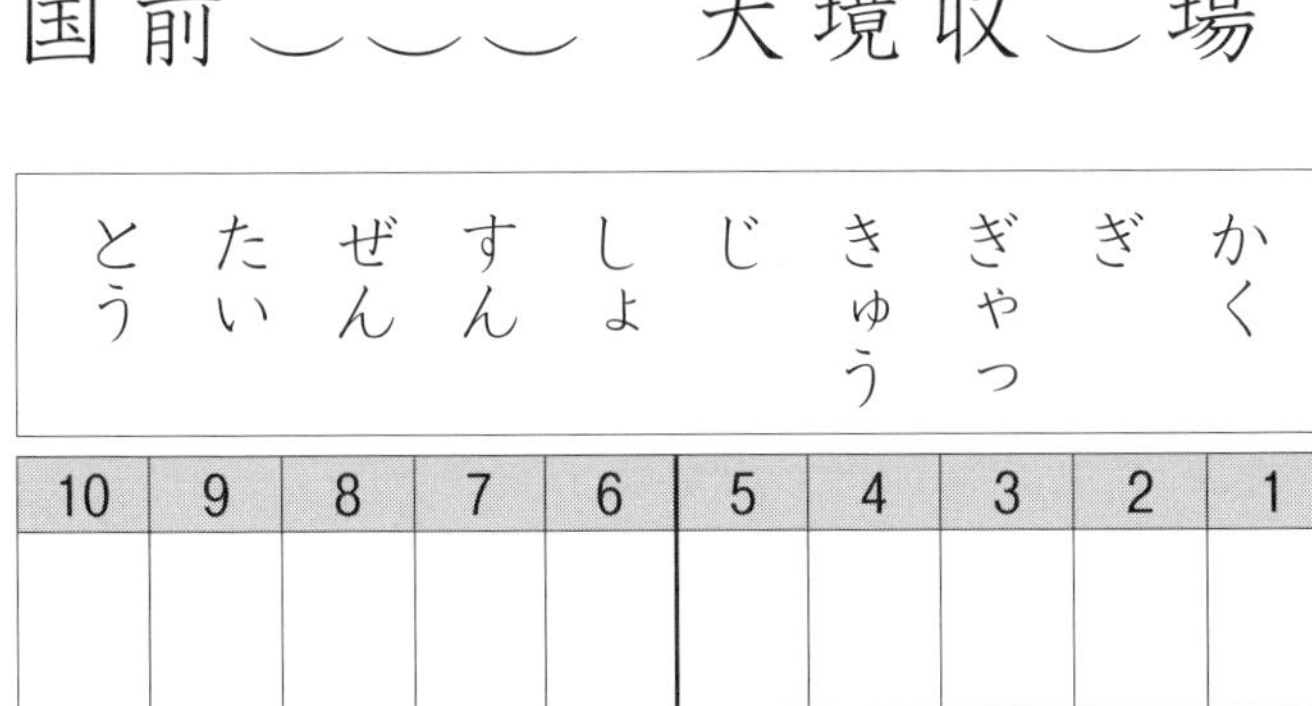

対義語

入場―（1）場
応答―質（2）
発散―（3）収
順境―（4）境
縮小―（5）大

類義語

命令―指（6）
悪人―悪（7）
改良―改（8）
直前―（9）前
各国―（10）国

かく　ぎ　ぎゃっ　きゅう　じ　しょ　すん　ぜん　たい　とう

1	2	3	4	5	6	7	8	9	10

(八) 2×5 /10

後の□の中から漢字を選んで、次の意味にあてはまる**熟語**を作りなさい。答えは**記号**で書きなさい。

〈例〉ひつじのけのこと。（羊毛）シ サ

1 新しい考え、思いつき。

2 きかいや道具をそなえつけること。

3 美しいものなどに感動する心の動き。

4 飲食物などを低温でたくわえること。

5 人やものごとがあること。

1	2	3	4	5

ア 装　イ 在　ウ 蔵　エ 存　オ 置　カ 創
キ 情　ク 冷　ケ 操　コ 意　サ 毛　シ 羊

(九) 2×10 /20

漢字を二字組み合わせた熟語では、二つの漢字の間に意味の上で、次のような関係があります。

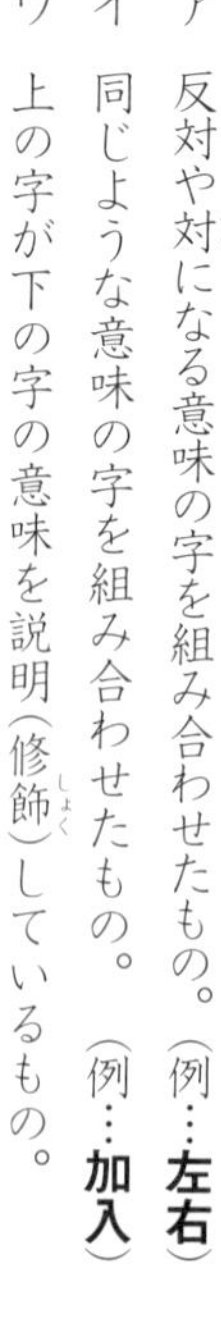

ア 反対や対（つい）になる意味の字を組み合わせたもの。（例…**左右**）

イ 同じような意味の字を組み合わせたもの。（例…**加入**）

ウ 上の字が下の字の意味を説明（修飾（しょく））しているもの。（例…**小島**）

エ 下の字から上の字へ返って読むと意味がよくわかるもの。（例…**入会**）

次の**熟語**は、右のア～エのどれにあたるか、**記号**で答えなさい。

1 登頂（　）　2 家賃（　）　3 縦横（　）

4 展開（　）　5 当落（　）　6 敬老（　）

7 乗降（　）　8 胃液（　）　9 提供（　）

10 高低（　）

(十) 2×10 /20

次の――線の**カタカナ**を**漢字**になおしなさい。

1 野菜が安値で**スイ**移する。（　）

2 棒を地面に対して**スイ**直に立てた。（　）

3 去年から体重が二キロ**フ**えた。（　）
4 今日も雪が**フ**り続く。（　）
5 無理を**ショウ**知で頼み込む。（　）
6 **ショウ**害物競走で一等賞だった。（　）
7 がんの**セン**告を受ける。（　）
8 古代史の**セン**門家に意見をうかがう。（　）
9 庭に**ジョ**草剤をまく。（　）
10 一週間で**ジョ**章を書き終えた。（　）

(十)

2×20　　／40

次の——線の**カタカナ**を漢字になおしなさい。

1 病院で**ダイチョウ**の検査をしてもらう。（　）
2 **オンイキ**の広い歌を習う。（　）
3 **コキョウ**の友人から手紙がきた。（　）
4 **オサナ**い時から絵を習っている。（　）
5 コーヒーに**サトウ**を入れる。（　）
6 市役所の**チョウシャ**は十階建てだ。（　）
7 **ナイカク**の支持率が下がった。（　）
8 **ワタクシ**にお任せください。（　）
9 自治会の年会費を**オサ**める。（　）
10 自分と**コト**なる意見も尊重する。（　）
11 兄は画家の**タマゴ**だ。（　）
12 川岸に**ソ**って桜の木が植えられている。（　）
13 みんなの期待を**ウラギ**る。（　）
14 テレビの**エイゾウ**が美しい。（　）
15 大雨**ケイホウ**が発令された。（　）
16 後ろ**スガタ**が姉にそっくりだ。（　）
17 **メイロウ**な性格で人に好かれる。（　）
18 ついに両者は合意に**イタ**った。（　）
19 三十年女王として**クンリン**する。（　）
20 **ホネオ**り損のくたびれもうけ（　）

5級

第4回★テスト（60分）

◇合計点◇

（200点満点の　　点）

- 140点以上　合格
- 110点以上　合格まであと一歩
- 80点以上　さらに努力を
- 79点以下　受検級を考え直しましょう

1×20　／20

(一) 次の――線の漢字の読みをひらがなで書きなさい。

1 祖父が会社の実権を握（にぎ）る。（　　）
2 遠くに北アルプス山系が見える。（　　）
3 自己流で油絵を始めた。（　　）
4 絹のくつ下を買ってきた。（　　）
5 的を射た質問だとほめる。（　　）
6 干天に恵（めぐ）みの雨が降る。（　　）
7 友人の演技は圧巻である。（　　）
8 宗祖の開いたお寺をたずねる。（　　）
9 ふいに自分の名を呼ばれた。（　　）
10 資料を誤って処分してしまう。（　　）
11 春らしい色の口紅をつけた。（　　）
12 妹は派手な服装で出かける。（　　）
13 肺活量が増えてきた。（　　）
14 ピアノの才能を認められた。（　　）
15 ずっと親不孝を続けている。（　　）
16 映画俳優を目指して努力する。（　　）
17 銀行の預金の残高を調べる。（　　）
18 母は毎朝、仏様を拝んでいる。（　　）
19 兄が背広を新調した。（　　）
20 この道や行く人なしに秋の暮れ（　　）

(二)

1×10

/10

次の漢字の部首と部首名を後の□の中から選び、記号で答えなさい。

〈例〉仲〔部首（う）〕〔部首名（ク）〕

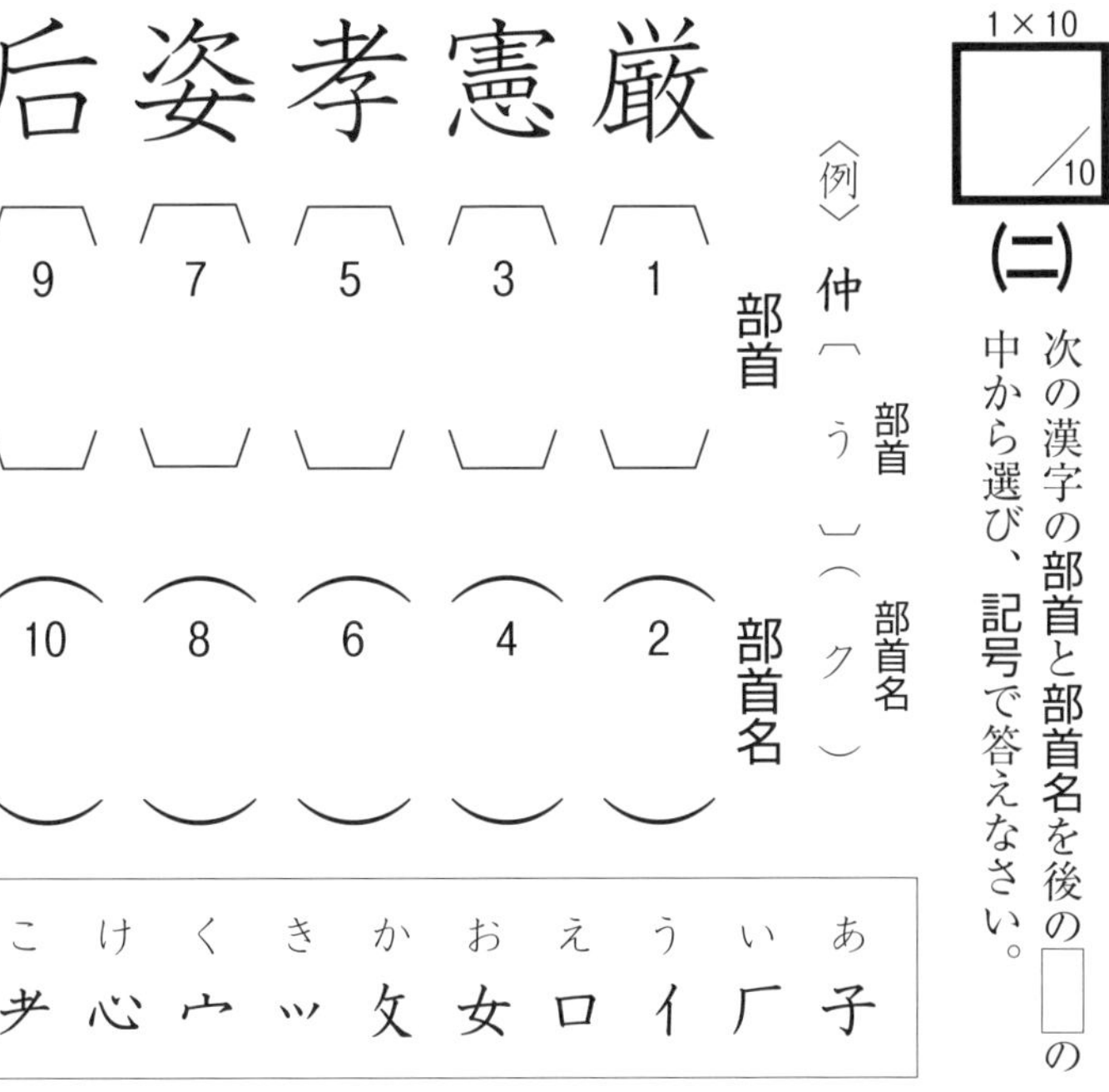

后 姿 孝 憲 厳

部首 1 3 5 7 9

部首名 2 4 6 8 10

あ 子　い 厂　う 亻　え 口　お 女　か 夂　き ⺍　く 宀　け 心　こ 耂

ア こ　イ おいかんむり・おいがしら　ウ のぶん・ぼくづくり　エ うかんむり　オ がんだれ　カ おんな　キ つかんむり　ク にんべん　ケ こころ　コ くち

(三)

1×10

/10

次の漢字の太い画のところは筆順の何画目か、また総画数は何画か、算用数字（1、2、3…）で答えなさい。

〈例〉王〔何画目（2）〕〔総画数（4）〕

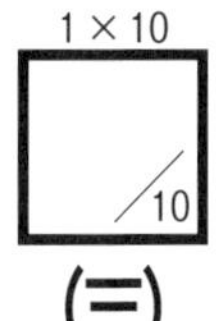

激 勤 劇 郷 胸

何画目 1 3 5 7 9

総画数 2 4 6 8 10

10	9	8	7	6	5	4	3	2	1

(四) 2×5 /10

次の——線のカタカナの部分を漢字一字と送りがな(ひらがな)になおしなさい。

〈例〉運がヒラケル。 開ける

1 やっと結論を出すにイタル。（　　）

2 小数点以下を切りステル。（　　）

3 地域のワカイ力を結集する。（　　）

4 雨にぬれてかみの毛がチヂレル。（　　）

5 時代の流れにシタガウ。（　　）

(五) 2×10 /20

漢字の読みには音と訓があります。次の熟語の読みは□の中のどの組み合わせになっていますか。ア～エの記号で答えなさい。

ア 音と音　イ 音と訓
ウ 訓と訓　エ 訓と音

1 孝行（　）

2 札束（　）

3 炭俵（　）

4 国別（　）

5 仕事（　）

6 皇后（　）

7 宝船（　）

8 誤解（　）

9 裏作（　）

10 紅花（　）

(六)

2×10 ／20

次のカタカナを漢字になおし、一字だけ書きなさい。

1 公**シュウ**電話
2 女性**ケイ**官
3 社長**ヒ**書
4 準備体**ソウ**
5 興**フン**状態
6 基本方**シン**
7 女王**ヘイ**下
8 **ヘイ**店時間
9 **カタ**側通行
10 **ホ**習授業

10	9	8	7	6	5	4	3	2	1

(七)

2×10 ／20

後の□の中のひらがなを漢字になおして、対義語（意味が反対や対になることば）と、類義語（意味がよくにたことば）を書きなさい。□の中のひらがなは一度だけ使い、漢字一字を書きなさい。

対義語

損害―利（1）
現在―（2）去
河口―水（3）
容易―（4）難
同意―（5）議

類義語

気質―性（6）
議論―（7）論
手段―方（8）
筆者―（9）者
誠実―（10）実

い　えき　か　かく　げん　こん　さく　ちゅう　ちょ　とう

10	9	8	7	6	5	4	3	2	1

(八) 2×5 ／10

後の□の中から漢字を選んで、次の意味にあてはまる**熟語**を作りなさい。答えは**記号**で書きなさい。

〈例〉 ひつじのけのこと。（羊毛） シ｜サ

1 あるしごとをうけもつこと。

2 くわしくさぐりしらべること。

3 ものごとのくぎり。

4 世の中のけがれにそまらない様子。

5 特定の分野の学問や仕事に従事すること。

1	2	3	4	5

ア 純　イ 当　ウ 清　エ 担　オ 門　カ 段
キ 探　ク 専　ケ 査　コ 落　サ 毛　シ 羊

(九) 2×10 ／20

漢字を二字組み合わせた熟語では、二つの漢字の間に意味の上で、次のような関係があります。

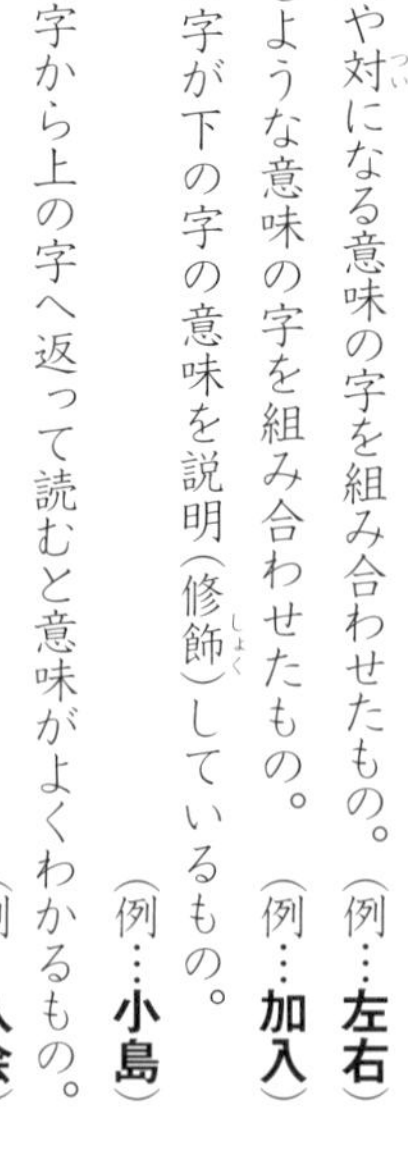

ア 反対や対（つい）になる意味の字を組み合わせたもの。（例…**左右**）
イ 同じような意味の字を組み合わせたもの。（例…**加入**）
ウ 上の字が下の字の意味を説明（修飾（しょく））しているもの。（例…**小島**）
エ 下の字から上の字へ返って読むと意味がよくわかるもの。（例…**入会**）

次の**熟語**は、右のア～エのどれにあたるか、**記号**で答えなさい。

1 恩人（　）　2 腹背（　）　3 植樹（　）
4 庁舎（　）　5 認識（　）　6 帰郷（　）
7 参拝（　）　8 早熟（　）　9 立腹（　）
10 朝晩（　）

(十) 2×10 ／20

次の――線の**カタカナ**を**漢字**になおしなさい。

1 ピアノの独**ソウ**曲を作曲した。（　）
2 新幹線の車**ソウ**から富士山をながめる。（　）

3 ビルに**タ**れまくが下りる。（　）

4 **タ**え間なく強い風が吹（ふ）く。（　）

5 天地**ソウ**造の映画をみる。（　）

6 海岸近くにある地**ソウ**を観察する。（　）

7 少数意見を**ソン**重する。（　）

8 災害による多額の**ソン**失を計上した。（　）

9 公**シ**混同であると非難した。（　）

10 駅前にある書店で毎週雑**シ**を買う。（　）

(十)

2×20　／40

次の――線の**カタカナ**を漢字になおしなさい。

1 食堂の入り口で**ショッケン**を買う。（　）

2 手続きを**カンリャク**にした。（　）

3 旅行の出発を来週に**ノ**ばす。（　）

4 実力を十分に**ハッキ**できた。（　）

5 **キチョウヒン**を預ける。（　）

6 弟と川に**ソ**った道を歩く。（　）

7 知識の**キュウシュウ**に努める。（　）

8 **ケイザイ**学部に合格した。（　）

9 **ワレ**先に川にとびこむ。（　）

10 雲が切れて**シカイ**が開けた。（　）

11 **ハイイロ**の空を見上げる。（　）

12 **キケン**の予兆を見落とさない。（　）

13 思い出を心に**キザ**みつける。（　）

14 水面に木々が**ウツ**っている。（　）

15 殺人の**ヨウギ**を晴らす。（　）

16 かぜの流行で**リンジ**休校になった。（　）

17 なすを**タテ**に二つに切る。（　）

18 目上の人を**ウヤマ**う。（　）

19 **ナマタマゴ**をご飯にかけて食べた。（　）

20 犬も歩けば**ボウ**に当たる（　）

5級

第5回★テスト（60分）

◇合計点◇

200点満点の　　点

- 140点以上 合格
- 110点以上 合格まであと一歩
- 80点以上 さらに努力を
- 79点以下 受検級を考え直しましょう

1×20 ／20

(一) 次の——線の漢字の読みをひらがなで書きなさい。

1 はがねのことを鋼鉄という。（　）
2 豆などの雑穀を作っている。（　）
3 父は大学の非常勤講師をしている。（　）
4 一週間冷たい雨が降り続く。（　）
5 針金で畑の囲いを作る。（　）
6 都市計画の骨組みができた。（　）
7 交番に落とし物を届ける。（　）
8 今始めるのは得策ではない。（　）
9 雑誌に別冊付録がついてきた。（　）
10 食べ過ぎたので胃薬を飲んだ。（　）
11 「医は仁術」といわれている。（　）
12 味方のよびかけに呼応する。（　）
13 一日一回は善い行いを心がける。（　）
14 犯罪者が法の裁きを受ける。（　）
15 ごちそうをたっぷり頂く。（　）
16 兄が卒業論文を書いている。（　）
17 今度の選挙は野党が強そうだ。（　）
18 約束の時間を忘れてしまった。（　）
19 痛いところをつかれた。（　）
20 我ときて遊べや親のないすずめ（　）

(二)

1×10　／10

次の漢字の部首と部首名を後の□の中から選び、記号で答えなさい。

〈例〉仲〔う〕〔ク〕（部首・部首名）

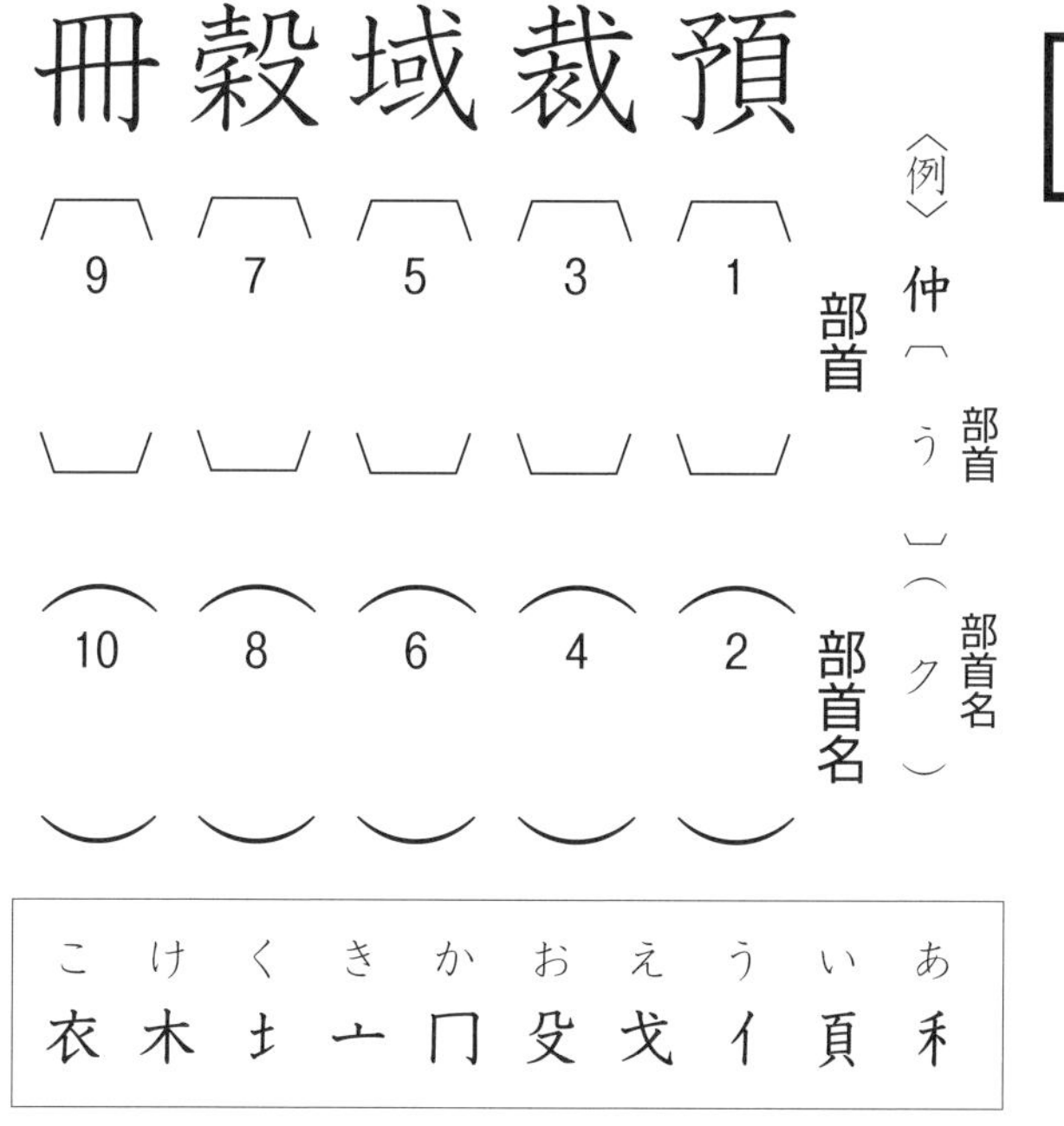

あ	い	う	え	お	か	き	く	け	こ
禾	頁	亻	戈	殳	冂	亠	土	木	衣

ア　ほこづくり・ほこがまえ　イ　つちへん
ウ　なべぶた・けいさんかんむり　エ　ころも
オ　るまた・ほこづくり　カ　のぎへん　キ　き
ク　にんべん　ケ　どうがまえ・けいがまえ・まきがまえ
コ　おおがい

(三)

1×10　／10

次の漢字の太い画のところは筆順の何画目か、また総画数は何画か、算用数字（1、2、3…）で答えなさい。

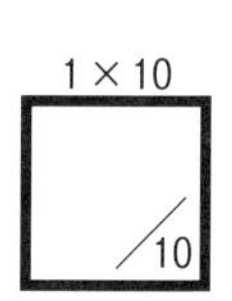

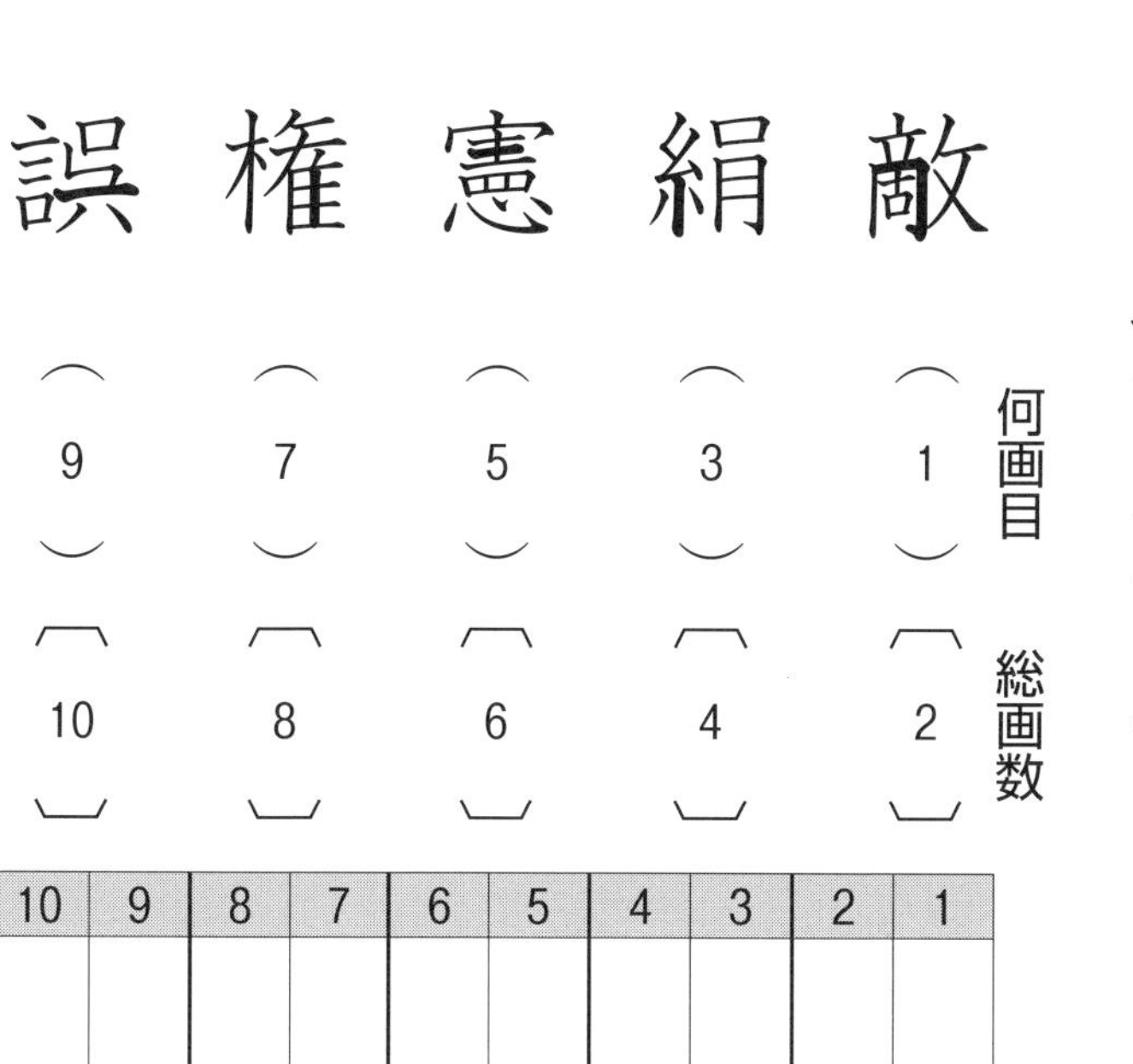

10	9	8	7	6	5	4	3	2	1

(四)

2×5　／10

次の――線のカタカナの部分を漢字一字と送りがな(ひらがな)になおしなさい。

〈例〉運が**ヒラケル**。［開ける］

1 なまけ者をチームから**ノゾク**。（　　）

2 二階の窓からロープを**タラス**。（　　）

3 外出から帰ったら必ず手を**アラウ**。（　　）

4 布を**ソメル**方法を動画で学ぶ。（　　）

5 虫歯が**イタイ**ので歯医者に行く。（　　）

(五)

2×10　／20

漢字の読みには音と訓があります。次の**熟語の読み**は［　］の中のどの組み合わせになっていますか。ア～エの**記号**で答えなさい。

ア 音と音　イ 音と訓
ウ 訓と訓　エ 訓と音

1 強気（　　）

2 宗教（　　）

3 巣箱（　　）

4 腹筋（　　）

5 書簡（　　）

6 両手（　　）

7 金具（　　）

8 逆夢（　　）

9 採血（　　）

10 首筋（　　）

第5回

2×10 /20

(六)

次のカタカナを漢字になおし、一字だけ書きなさい。

1 器楽合**ソウ**
2 家庭**ホウ**問
3 死**ボウ**通知
4 適者生**ゾン**
5 階**ダン**教室
6 **マク**内力士
7 反対同**メイ**
8 **セイ**人君子
9 同時通**ヤク**
10 **ユウ**便番号

1	2	3	4	5	6	7	8	9	10

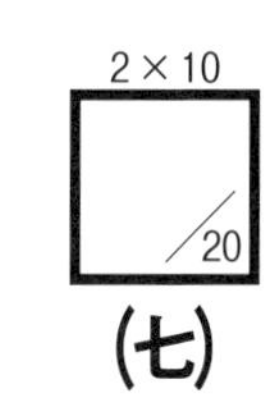

2×10 /20

(七)

後の□の中のひらがなを漢字になおして、対義語（意味が反対や対（つい）になることば）と、類義語（意味がよくにたことば）を書きなさい。□の中のひらがなは一度だけ使い、漢字一字を書きなさい。

対義語

定価—（1）価
前進—後（2）
好機—（3）機
安楽—（4）苦
冷静—興（5）

類義語

消息—音（6）
方法—手（7）
家屋—住（8）
同意—（9）成
給料—（10）金

き　こん　さん　じ　しん　たい　たく　だん　ちん　ふん

1	2	3	4	5	6	7	8	9	10

2×5 ／10

(八)

後の□の中から漢字を選んで、次の意味にあてはまる**熟語**を作りなさい。答えは**記号**で書きなさい。

〈例〉ひつじのけのこと。（羊毛）シ サ

1 いちばん高いところ。
2 世の中のなりゆき、けいこう。
3 順番にしたがって見ること。
4 まちがった知らせ。
5 いろいろしらべ、考えること。

1	2	3	4	5

ア潮　イ頂　ウ誤　エ風　オ報　カ討
キ回　ク検　ケ覧　コ点　サ毛　シ羊

2×10 ／20

(九)

漢字を二字組み合わせた熟語では、二つの漢字の間に意味の上で、次のような関係があります。

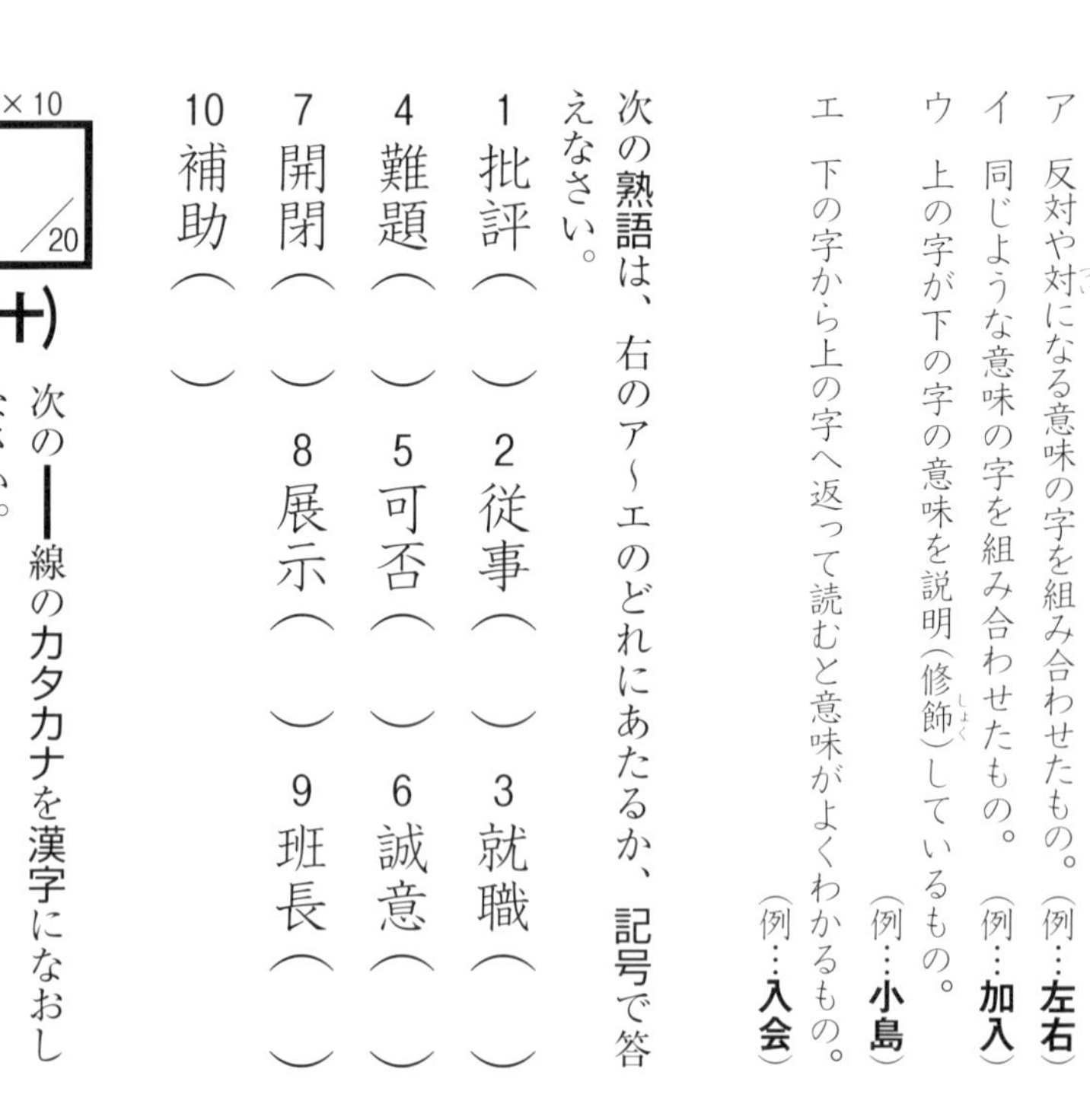

ア 反対や対になる意味の字を組み合わせたもの。（例…**左右**）
イ 同じような意味の字を組み合わせたもの。（例…**加入**）
ウ 上の字が下の字の意味を説明（修飾）しているもの。（例…**小島**）
エ 下の字から上の字へ返って読むと意味がよくわかるもの。（例…**入会**）

次の**熟語**は、右のア～エのどれにあたるか、**記号**で答えなさい。

1 批評（　）　2 従事（　）　3 就職（　）
4 難題（　）　5 可否（　）　6 誠意（　）
7 開閉（　）　8 展示（　）　9 班長（　）
10 補助（　）

2×10 ／20

(十)

次の――線の**カタカナ**を**漢字**になおしなさい。

1 **カタ**道三十分かかる。（　）
2 洋服の**カタ**紙を作る。（　）

第5回

3 駅員から入場**ケン**を買う。（　　）
4 **ケン**利と義務について学ぶ。（　　）
5 寒**ダン**計が二十度を示す。（　　）
6 **ダン**続的に花火が上がる。（　　）
7 実家はホテルを**ケイ**営している。（　　）
8 **ケイ**官に道をたずねた。（　　）
9 海岸にある地**ソウ**を観察した。（　　）
10 山に登るための**ソウ**備を買い求める。（　　）

(十) 次の――線の**カタカナ**を漢字になおしなさい。

2×20　/40

1 **キョウテキ**を倒して優勝した。（　　）
2 **ケイトウ**立てて話を進める。（　　）
3 **ワリヤス**な航空券を買う。（　　）
4 夕方から**ハゲ**しい雨が降った。（　　）
5 百貨店の**カブヌシ**になる。（　　）
6 国立**ゲキジョウ**で公演を行う。（　　）
7 あじを天日**ボ**しにする。（　　）
8 犯行の**ジキョウ**を始めた。（　　）
9 うでに包帯をきつく**マ**く。（　　）
10 **ドキョウ**をつけて再びいどむ。（　　）
11 書類の**マイスウ**を確かめる。（　　）
12 **ツクエ**の上に花一輪を置く。（　　）
13 **ウタガ**いの目で見られる。（　　）
14 菜の花の**ス**い物をいただく。（　　）
15 反対意見を**ムシ**する。（　　）
16 空に冬の**セイザ**がまたたく。（　　）
17 **キズ**つきやすい年ごろだ。（　　）
18 **ケイロウ**の精神を養う。（　　）
19 **テツボウ**で逆上がりをした。（　　）
20 正直は一生の**タカラ**（　　）

5級

第6回★テスト（60分）

◇合計点◇

200点満点の（　　　点）

- 140点以上 合格
- 110点以上 合格まであと一歩
- 80点以上 さらに努力を
- 79点以下 受検級を考え直しましょう

1×20 ／20

(一) 次の――線の漢字の読みをひらがなで書きなさい。

1 学校で視力検査を受けた。（　　）
2 授業で作詞の勉強を始める。（　　）
3 野球雑誌を毎週買っている。（　　）
4 中国製の磁器を買った。（　　）
5 夏休みに蚕を一週間観察した。（　　）
6 弟はようやく卒業に至った。（　　）
7 私の家は学校のすぐ近くにある。（　　）
8 駅で母の後ろ姿を見送った。（　　）
9 父は尺八の名人である。（　　）
10 土俵際の攻(こう)防に手に汗握(あせにぎ)った。（　　）
11 真夏の強い光が目を射る。（　　）
12 引っ越(こ)す時に余分な物を捨てる。（　　）
13 チームの若返りをはかる。（　　）
14 みなで分担して教室をそうじする。（　　）
15 年齢(れい)別の階層に分類した。（　　）
16 母の忠告を聞かなかった。（　　）
17 赤ちゃんの誕生を祝う。（　　）
18 大切な探し物が見つかった。（　　）
19 ようやく部屋が暖まる。（　　）
20 春雨(はるさめ)にぬるるかじかの背中かな（　　）

1×10

/10

(二)

次の漢字の部首と部首名を後の□の中から選び、記号で答えなさい。

〈例〉 仲（う）（ク） 部首 部首名

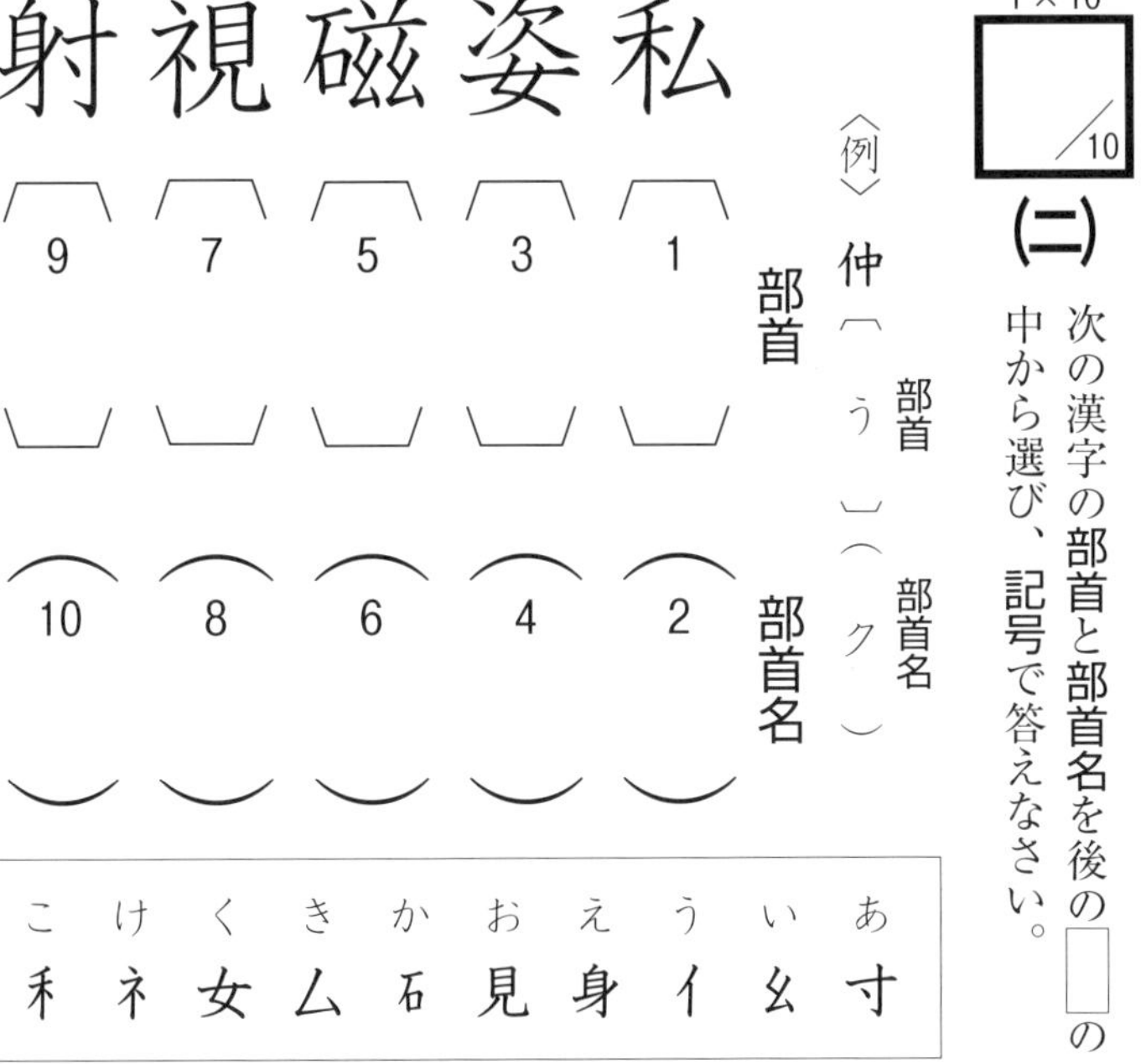

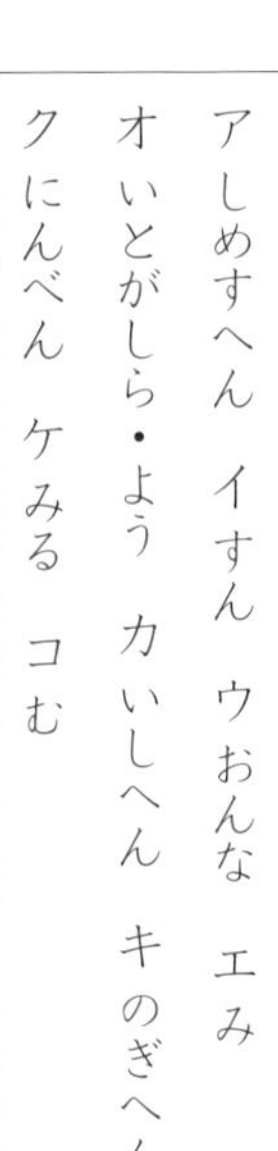

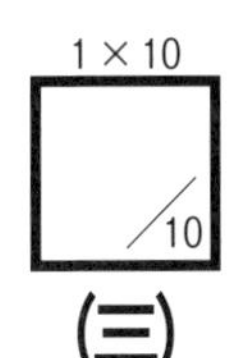

(三)

次の漢字の太い画のところは筆順の何画目か、また総画数は何画か、算用数字（1、2、3…）で答えなさい。

〈例〉 王 何画目（2） 総画数（4）

10	9	8	7	6	5	4	3	2	1

2×5 /10

(四)

次の——線のカタカナの部分を漢字一字と送りがな(ひらがな)になおしなさい。

〈例〉 運が**ヒラケル**。 開ける

1 他者の意見を**シリゾケル**。（　　）

2 川で**アブナイ**目にあった。（　　）

3 読書につかれて本を**トジル**。（　　）

4 不足分は預金を下ろして**オギナウ**。（　　）

5 日が**クレル**のが早くなってきた。（　　）

2×10 /20

(五)

漢字の読みには**音**と**訓**があります。次の**熟語の読み**は□の中のどの組み合わせになっていますか。ア～エの**記号**で答えなさい。

ア 音と音　イ 音と訓
ウ 訓と訓　エ 訓と音

1 生卵（　　）
2 新顔（　　）
3 銭湯（　　）
4 誠実（　　）
5 客間（　　）
6 解答（　　）
7 巻紙（　　）
8 関所（　　）
9 割高（　　）
10 郵便（　　）

(六)

2×10 /20

次のカタカナを漢字になおし、一字だけ書きなさい。

1 成績ユウ良
2 ヨウ年時代
3 食ヨク増進
4 一心不ラン
5 遊ラン飛行
6 シュウ教戦争
7 法リツ改正
8 リン時停車
9 明ロウ快活
10 ロン説委員

1	2	3	4	5	6	7	8	9	10

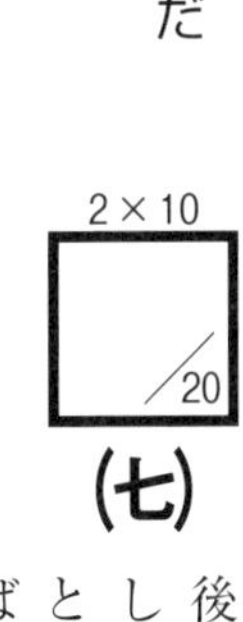

(七)

2×10 /20

後の□の中のひらがなを漢字になおして、対義語(意味が反対や対になることば)と、類義語(意味がよくにたことば)を書きなさい。□の中のひらがなは一度だけ使い、漢字一字を書きなさい。

対義語

理想―現(1)
起立―(2)席
複雑―単(3)
退職―(4)職
今後―(5)来

類義語

同意―(6)知
真心―(7)意
奮戦―(8)戦
重視―(9)重
順番―(10)階

じつ　しゅう　じゅう　じゅん　しょう　せい　ぜん　そん　だん　ちゃく

1	2	3	4	5	6	7	8	9	10

(八)

2×5 ／10

後の□の中から漢字を選んで、次の意味にあてはまる**熟語**を作りなさい。答えは**記号**で書きなさい。

〈例〉ひつじのけのこと。（羊毛）　シ　サ

1 そうではないと打ち消すこと。

2 役所などにお金や品物をおさめること。

3 もとのところからわかれでること。

4 寺社などをつつしんで見ること。

5 一生の終わりのころ。

ア生	イ付	ウ年	エ定	オ晩	カ観
キ否	ク拝	ケ納	コ派	サ毛	シ羊

1	2	3	4	5

(九)

2×10 ／20

漢字を二字組み合わせた熟語では、二つの漢字の間に意味の上で、次のような関係があります。

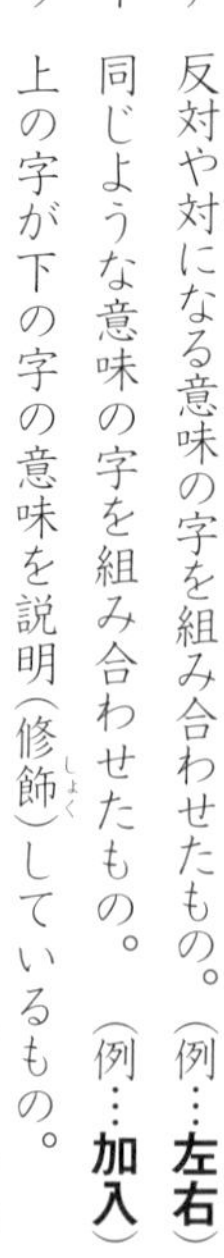

ア 反対や対（つい）になる意味の字を組み合わせたもの。（例…**左右**）

イ 同じような意味の字を組み合わせたもの。（例…**加入**）

ウ 上の字が下の字の意味を説明（修飾（しゅうしょく））しているもの。（例…**小島**）

エ 下の字から上の字へ返って読むと意味がよくわかるもの。（例…**入会**）

次の**熟語**は、右のア～エのどれにあたるか、**記号**で答えなさい。

1 秘密（　　）　2 問答（　　）　3 灰色（　　）

4 異国（　　）　5 訪米（　　）　6 軽傷（　　）

7 養蚕（　　）　8 盟約（　　）　9 討幕（　　）

10 明暗（　　）

(十)

2×10 ／20

次の——線の**カタカナ**を**漢字**になおしなさい。

1 小さなことで**ハラ**を立てない。（　　）

2 **ハラ**っぱでねころがる。（　　）

3 **コウ**運機を使って畑にうねを作った。（　）
4 有名な医師の**コウ**演を聞く。（　）
5 新車の**テン**示会に行く。（　）
6 国語辞**テン**で言葉の意味を調べる。（　）
7 政**トウ**政治が行われる。（　）
8 戦国大名は天下**トウ**一を目指した。（　）
9 災害に備えて対**サク**を練る。（　）
10 **サク**夜から今朝にかけて大雨が降った。（　）

(十)

2×20　／40

次の——線のカタカナを漢字になおしなさい。

1 ぼくには**センキョケン**がない。（　）
2 今朝から**イ**の調子がよくない。（　）
3 思い込(こ)んで**ジコ**暗示にかかる。（　）
4 **コウゴウ**様にお目にかかった。（　）
5 **オヤフコウ**がなさけない。（　）
6 立派なお**ソナ**えもちを作る。（　）
7 **ムネ**がすく勝利をあげる。（　）
8 父の**ツト**め先に電話する。（　）
9 **マド**ガラスをきれいにふく。（　）
10 **スジ**書きどおりに事が運ぶ。（　）
11 神仏を**ウヤマ**う気持ちを養う。（　）
12 天然**シゲン**の輸出に関する仕事だ。（　）
13 集合時間を**ゲンシュ**する。（　）
14 雨が**ハゲ**しく降り続く。（　）
15 出席者全員の**テンコ**をとる。（　）
16 気分が大いに**モ**り上がった。（　）
17 **コウバイ**が美しくさいている。（　）
18 海面につり糸を**タ**れる。（　）
19 結果にわずかな**ゴサ**が生じた。（　）
20 **アナ**があれば入りたい（　）

5級

第7回★テスト（60分）

◇合計点◇

200点満点の　　　点

- 140点以上 合格
- 110点以上 合格まであと一歩
- 80点以上 さらに努力を
- 79点以下 受検級を考え直しましょう

1×20　　/20

(一) 次の――線の漢字の読みをひらがなで書きなさい。

1 カラスが樹林にすみつく。（　　）
2 宗教で心のやすらぎを得る。（　　）
3 島と本土を結ぶ高速船が就航した。（　　）
4 民衆の力を結集させよう。（　　）
5 改善計画は成功を収めた。（　　）
6 順番に従って校庭に整列する。（　　）
7 縦書きのノートを買う。（　　）
8 梅干しは健康によいそうだ。（　　）
9 こわい話は心臓に悪い。（　　）
10 生徒の純真な心を育てよう。（　　）
11 教室の窓辺に植木ばちを置く。（　　）
12 弟の生年月日を忘れる。（　　）
13 古くなった家具を処分した。（　　）
14 難しい質問に答える。（　　）
15 母親が子に乳をあたえる。（　　）
16 初めてピアノを独奏した。（　　）
17 祖父と一緒に銭湯へ行く。（　　）
18 変装して友だちをおどろかせた。（　　）
19 収入の内訳をノートに明記する。（　　）
20 春の夜に尊き御所(ごしょ)を守る身かな(も)（　　）

1×10 ／10

(二)

次の漢字の部首と部首名を後の□の中から選び、記号で答えなさい。

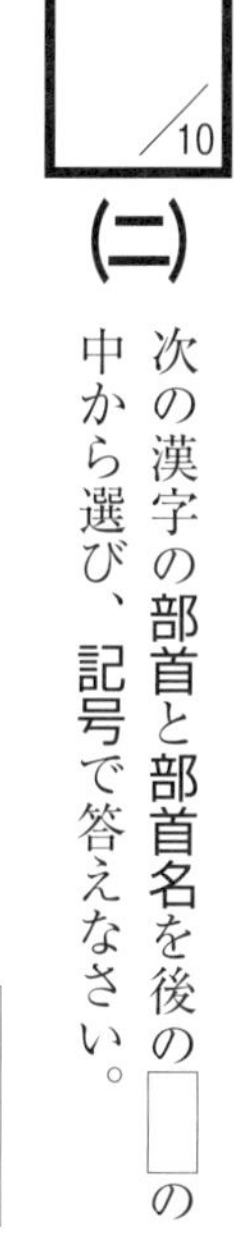
〈例〉 仲 部首（う） 部首名（ク）

	貴	覧	樹	就	衆
部首	1	3	5	7	9
部首名	2	4	6	8	10

あ 宀　い 丶　う 亻　え 木　お 貝　か 血　き 寸　く 尢　け 豕　こ 見

ア きへん　イ だいのまげあし　ウ てん　エ みる　オ うかんむり　カ ち　キ ぶた・いのこ　ク にんべん　ケ かい・こがい　コ すん

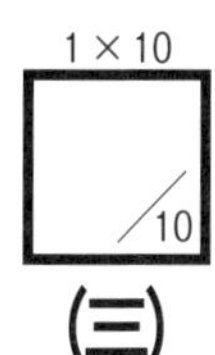
1×10 ／10

(三)

次の漢字の太い画のところは筆順の何画目か、また総画数は何画か、算用数字（1、2、3…）で答えなさい。

〈例〉 王 何画目（2） 総画数（4）

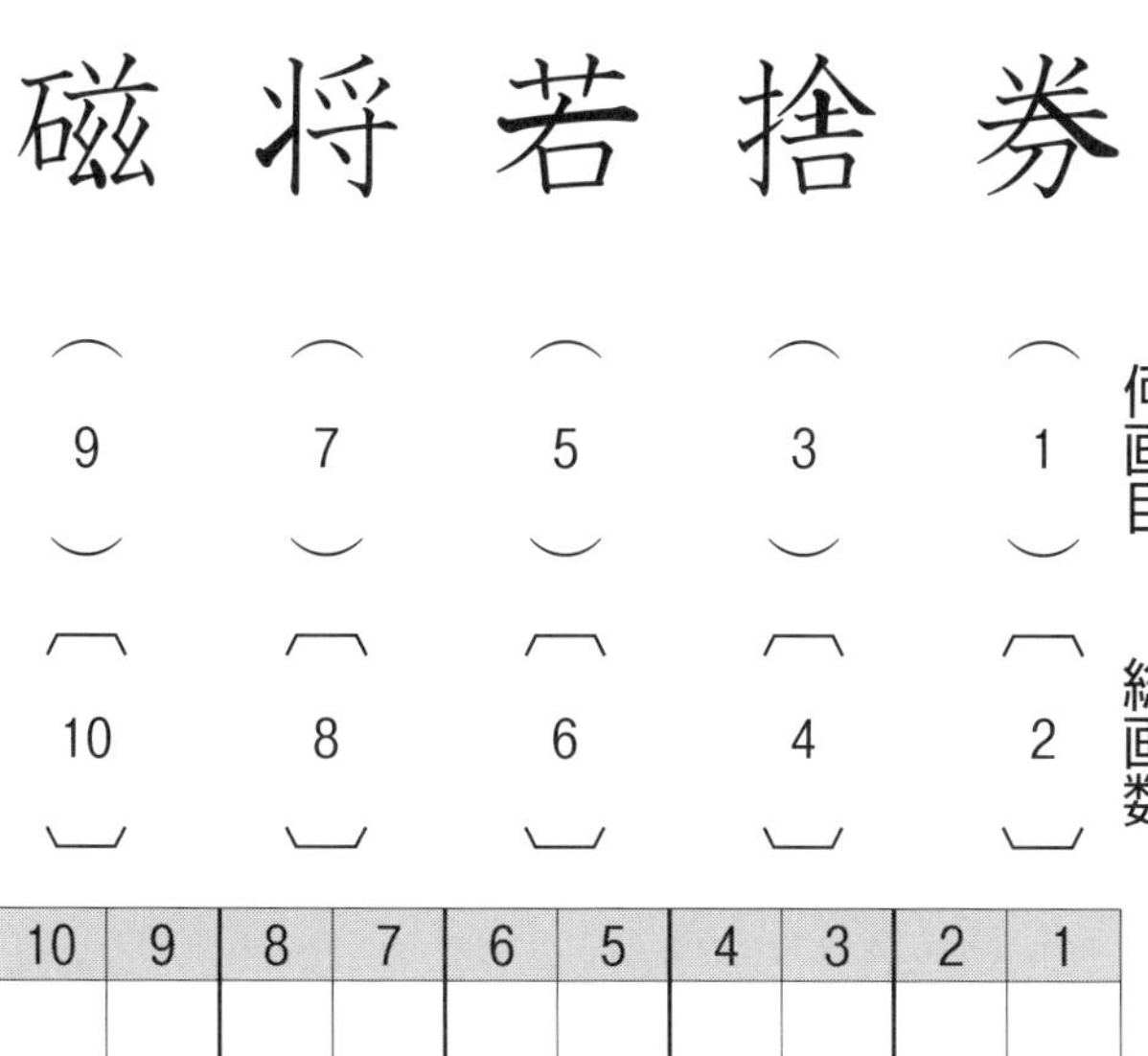

	券	捨	若	将	磁
何画目	1	3	5	7	9
総画数	2	4	6	8	10

10	9	8	7	6	5	4	3	2	1

2×5
□ /10

(四)

次の━━線のカタカナの部分を漢字一字と送りがな(ひらがな)になおしなさい。

〈例〉運が**ヒラケル**。[開ける]

1 野球選手が現役を**シリゾク**。(　　)

2 兄は四月から銀行に**ツトメル**。(　　)

3 初日の出を**オガム**人で混雑する。(　　)

4 おさななじみの家を**タズネル**。(　　)

5 急に**ハゲシイ**雨が降り出した。(　　)

2×10
□ /20

(五)

漢字の読みには音と訓があります。次の**熟語の読み**は□の中のどの組み合わせになっていますか。ア〜エの**記号**で答えなさい。

ア 音と音　イ 音と訓
ウ 訓と訓　エ 訓と音

1 係員(　　)
2 権利(　　)
3 身元(　　)
4 旧型(　　)
5 警告(　　)
6 値段(　　)
7 軽口(　　)
8 穴場(　　)
9 新芽(　　)
10 劇場(　　)

(六) 次のカタカナを漢字になおし、一字だけ書きなさい。

2×10 /20

1 大同小**イ**
2 世界**イ**産
3 地**イキ**社会
4 気**ウ**広大
5 **エイ**写技師
6 平和**セン**言
7 **エン**岸漁業
8 **カク**張工事
9 危急存**ボウ**
10 **カク**議決定

1	2	3	4	5	6	7	8	9	10

(七) 後の□の中のひらがなを漢字になおして、**対義語**（意味が反対や対になることば）と、**類義語**（意味がよくにたことば）を書きなさい。□の中のひらがなは一度だけ使い、**漢字一字**を書きなさい。

2×10 /20

対義語

入院—（1）院
減少—（2）加
老年—（3）年
延長—短（4）
尊重—無（5）

類義語

状態—様（6）
精読—（7）読
帰省—帰（8）
見事—立（9）
進歩—発（10）

きょう　し　しゅく　じゅく　す　ぞう　たい　てん　ぱ　よう

1	2	3	4	5	6	7	8	9	10

2×10　／10

(八)

後の□の中から漢字を選んで、次の意味にあてはまる**熟語**を作りなさい。答えは**記号**で書きなさい。

〈例〉ひつじのけのこと。（羊毛）　シ　サ

1 ぶじでいるかどうか。

2 ものごとのよしあしをろんじたり、非難すること。

3 人にほとんど知られていない所。

4 力いっぱいたたかうこと。

5 計量や評価のものさし。

1	2	3	4	5

ア 境	イ 戦	ウ 奮	エ 否	オ 批	カ 度
キ 安	ク 尺	ケ 判	コ 秘	サ 毛	シ 羊

2×10　／20

(九)

漢字を二字組み合わせた熟語では、二つの漢字の間に意味の上で、次のような関係があります。

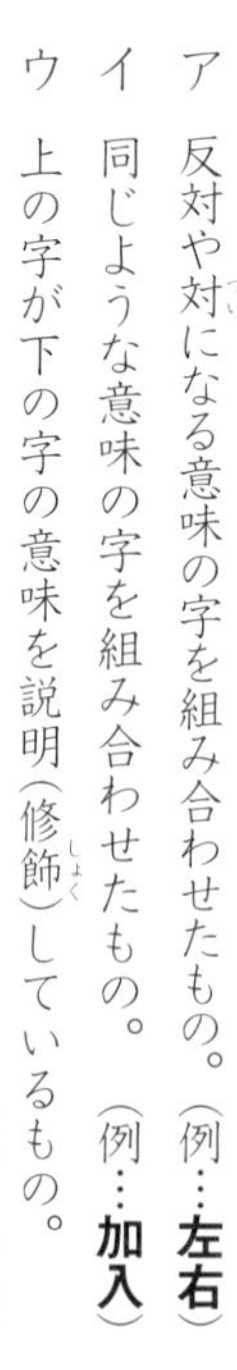
ア 反対や対（つい）になる意味の字を組み合わせたもの。（例…**左右**）
イ 同じような意味の字を組み合わせたもの。（例…**加入**）
ウ 上の字が下の字の意味を説明（修飾（しょく））しているもの。（例…**小島**）
エ 下の字から上の字へ返って読むと意味がよくわかるもの。（例…**入会**）

次の**熟語**は、右のア～エのどれにあたるか、**記号**で答えなさい。

1 乗降（　）　2 翌週（　）　3 干満（　）

4 優良（　）　5 退職（　）　6 再会（　）

7 並列（　）　8 拝礼（　）　9 洗面（　）

10 裏表（　）

2×10　／20

(十)

次の——線の**カタカナ**を**漢字**になおしなさい。

1 校外学習で市**チョウ**舎の見学をした。（　）

2 干**チョウ**時の浜（はま）で貝を拾った。（　）

第7回

3 夏の大会で強**テキ**に打ち勝つ。（　　）
4 ケガ人に**テキ**切な処置をする。（　　）
5 授業料を半年分**オサ**めた。（　　）
6 国を正しく**オサ**める。（　　）
7 校庭で転んでひざを負**ショウ**した。（　　）
8 友人に無理を**ショウ**知で頼（たの）み込（こ）む。（　　）
9 **キ**節ごとの風景の違（ちが）いを楽しむ。（　　）
10 オーケストラの指**キ**をとる。（　　）

2×20　／40

(十) 次の——線のカタカナを漢字になおしなさい。

1 **イチョウ**が弱くよくおなかが下る。（　　）
2 大気のよごれが**シンコク**だ。（　　）
3 **キヌイト**でシャツをぬう。（　　）
4 **カタホウ**のくつが脱（ぬ）げた。（　　）
5 わが町を流れる川の**ミナモト**を調べる。（　　）
6 台風の**タイサク**をたてる。（　　）
7 図書館で本を**サンサツ**借りた。（　　）
8 名優との**ヨ**び声が高い。（　　）
9 サッカーの練習に**センネン**する。（　　）
10 **ワサイ**を習ってゆかたを仕立てる。（　　）
11 **コクモツ**倉庫に米を入庫する。（　　）
12 オレンジ色の**クチベニ**をさす。（　　）
13 **テッコツ**造の家を建てた。（　　）
14 母が**キビ**しい表情を見せた。（　　）
15 突（とつ）然父の車が**コショウ**した。（　　）
16 **スナ**で作った城は波にくずされた。（　　）
17 ぼくは両親と三人で**ク**らしている。（　　）
18 お客様の荷物を**アズ**かる。（　　）
19 各クラスの**ハンチョウ**会議があった。（　　）
20 弘法（こうぼう）にも筆の**アヤマ**り（　　）

5級

第8回★テスト（60分）

◇合計点◇

（200点満点の　　　点）

- 140点以上　合格
- 110点以上　合格まであと一歩
- 80点以上　さらに努力を
- 79点以下　受検級を考え直しましょう

1×20　　/20

(一) 次の――線の漢字の読みをひらがなで書きなさい。

1 税務署で講習を受ける。（　　）
2 南西諸島付近に台風が発生した。（　　）
3 チームの主将に選ばれた。（　　）
4 道中の安全を保障する。（　　）
5 検査して不良品を取り除く。（　　）
6 戦争で傷ついた心をいやす。（　　）
7 決勝戦で優勝候補を退ける。（　　）
8 母は針仕事が得意だ。（　　）
9 海水を蒸留して真水にする。（　　）
10 人の道を外れぬよう仁義を重んじる。（　　）
11 推理小説の大ファンである。（　　）
12 大雨で山の道路が寸断された。（　　）
13 我ながらばかなことをしたものだ。（　　）
14 さしみを美しく皿に盛る。（　　）
15 清らかな泉の水をくむ。（　　）
16 冷たい水で顔を洗った。（　　）
17 西の空があかね色に染まる。（　　）
18 じっくり聖書を読みたい。（　　）
19 誠意のある回答を示す。（　　）
20 浅間山けぶりの中の若葉かな（　　）

第8回

(二)

1×10 　/10

次の漢字の部首と部首名を後の□の中から選び、記号で答えなさい。

〈例〉仲（う）（ク）
部首 部首名

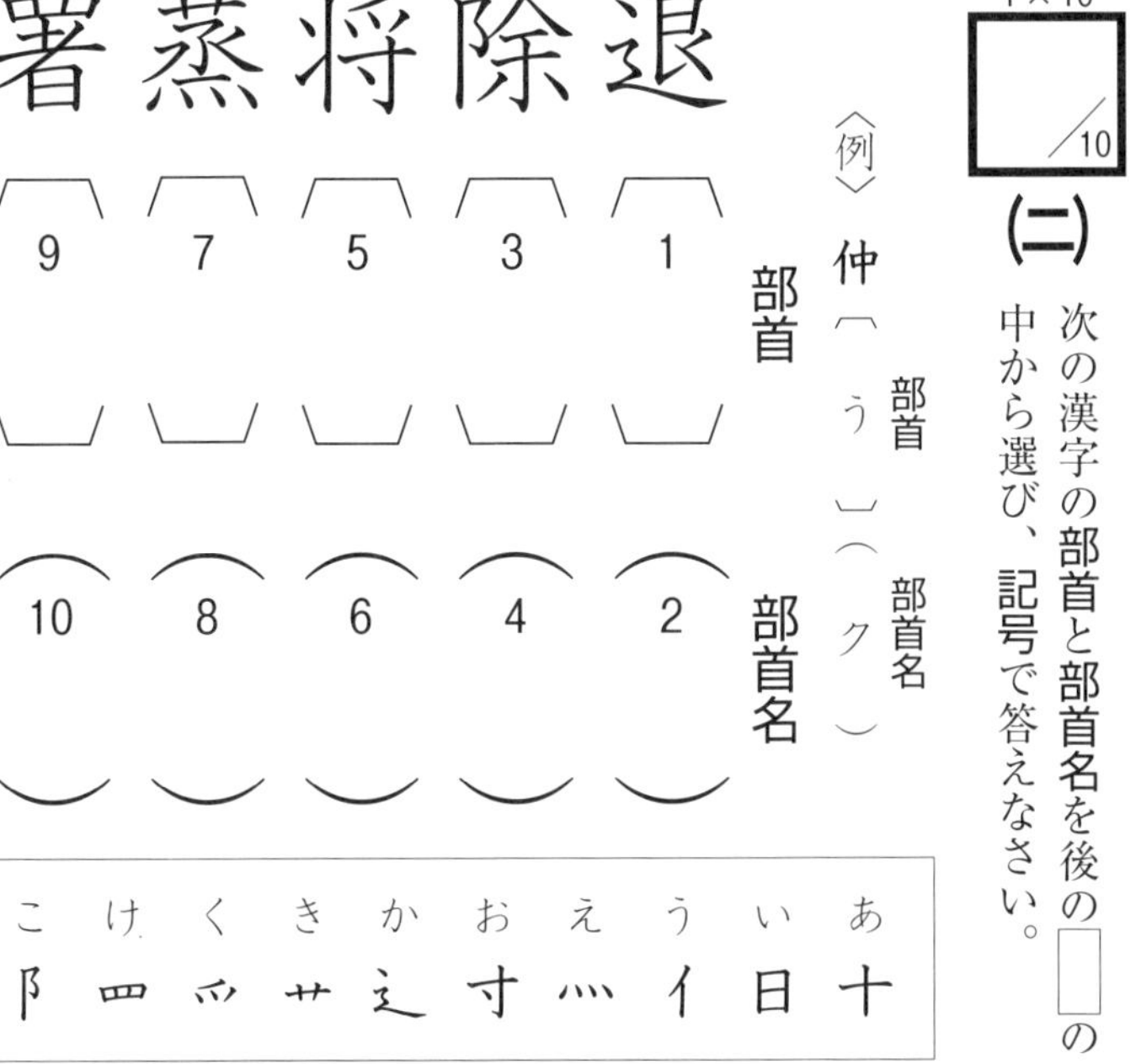

署 蒸 将 除 退

漢字	退	除	将	蒸	署
部首	1	3	5	7	9
部首名	2	4	6	8	10

あ 十　い 日　う 亻　え ⺍　お 寸　か 辶　き 艹　く ⺤　け 罒　こ 阝

ア あみがしら・あみめ・よこめ　イ すん
ウ れんが・れっか　エ つめかんむり
オ しんにょう・しんにゅう　カ こざとへん
キ じゅう　ク にんべん　ケ くさかんむり　コ ひ

(三)

1×10 　/10

次の漢字の太い画のところは筆順の何画目か、また総画数は何画か、算用数字（1、2、3…）で答えなさい。

〈例〉王（2）（4）
何画目 総画数

収 熟 就 簡 衆

漢字	収	熟	就	簡	衆
何画目	1	3	5	7	9
総画数	2	4	6	8	10

10	9	8	7	6	5	4	3	2	1

2×5 /10

(四)

次の――線のカタカナの部分を漢字一字と送りがな(ひらがな)になおしなさい。

〈例〉運が**ヒラケル**。開ける

1 サメの歯の化石を**サガス**。（　　）

2 景気の回復は**ムズカシイ**ようだ。（　　）

3 美しい花がさき**ミダレル**。（　　）

4 歩き過ぎて足が**イタム**。（　　）

5 あと一歩で目標に**トドク**。（　　）

2×10 /20

(五)

漢字の読みには**音**と**訓**があります。次の**熟語の読み**は□の中のどの組み合わせになっていますか。ア～エの**記号**で答えなさい。

ア 音と音　イ 音と訓
ウ 訓と訓　エ 訓と音

1 王様（　　）

2 場所（　　）

3 街角（　　）

4 胃酸（　　）

5 別口（　　）

6 異議（　　）

7 雨雲（　　）

8 灰色（　　）

9 拡張（　　）

10 横町（　　）

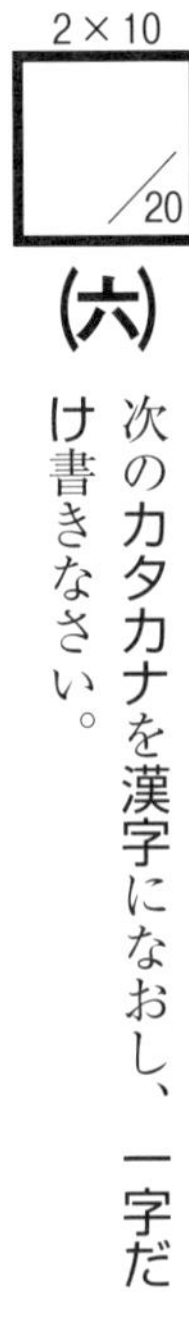

2×10 ／20 （六）

次のカタカナを漢字になおし、一字だけ書きなさい。

1 **ワリ**引価格
2 **カブ**式会社
3 中央官**チョウ**
4 **カン**末付録
5 天地**ソウ**造
6 非常階**ダン**
7 実力発**キ**
8 学習意**ヨク**
9 質**ギ**応答
10 酸素**キュウ**入

1	2	3	4	5	6	7	8	9	10

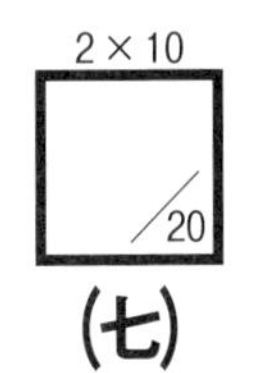

2×10 ／20 （七）

後の□の中のひらがなを漢字になおして、**対義語**（意味が反対や対（つい）になることば）と、**類義語**（意味がよくにたことば）を書きなさい。□の中のひらがなは**一度だけ**使い、**漢字一字**を書きなさい。

対義語

形式―内（1）
前進―後（2）
横断―（3）断
水平―（4）直
悪意―（5）意

類義語

衛生―（6）健
解決―（7）理
簡単―単（8）
感心―（9）服
老年―（10）年

けい　じゅう　じゅん　しょ　すい　ぜん　たい　ばん　ほ　よう

1	2	3	4	5	6	7	8	9	10

（八）

2×5　／10

後の□の中から漢字を選んで、次の意味にあてはまる**熟語**を作りなさい。答えは**記号**で書きなさい。

〈例〉ひつじのけのこと。（羊毛）〔シ・サ〕

1 人がたずねてくること。

2 政治上の理由で他国へにげること。

3 そっくりにうつすこと。

4 こっそりと話し合うこと。

5 外国語から日本語にすること。

1	2	3	4	5

ア命　イ談　ウ密　エ来　オ写　カ訳
キ模　ク和　ケ訪　コ亡　サ毛　シ羊

（九）

2×10　／20

漢字を二字組み合わせた熟語では、二つの漢字の間に意味の上で、次のような関係があります。

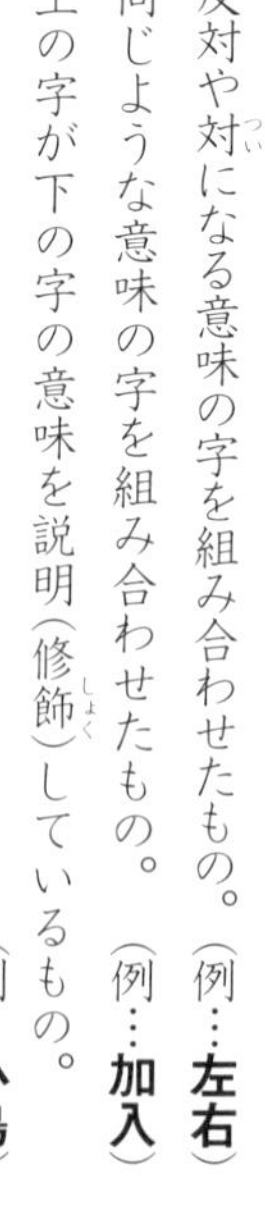
ア　反対や対(つい)になる意味の字を組み合わせたもの。（例…**左右**）
イ　同じような意味の字を組み合わせたもの。（例…**加入**）
ウ　上の字が下の字の意味を説明（修飾(しょく)）しているもの。（例…**小島**）
エ　下の字から上の字へ返って読むと意味がよくわかるもの。（例…**入会**）

次の**熟語**は、右のア〜エのどれにあたるか、**記号**で答えなさい。

1 退席（　）　2 映写（　）　3 異同（　）

4 絹地（　）　5 延期（　）　6 登頂（　）

7 暖流（　）　8 保革（　）　9 厳禁（　）

10 負担（　）

（十）

2×10　／20

次の――線の**カタカナ**を**漢字**になおしなさい。

1 エジプト**ヒ**宝展に行く。（　）

2 **ヒ**定的な意見も取り入れる。（　）

第8回

3 日がとっぷり**ク**れた。（　）
4 材木を**ク**み合わせる。（　）
5 ドアの開**ヘイ**に手間取る。（　）
6 **ヘイ**隊になるための試験を受けた。（　）
7 書店で新刊の**セン**伝がされていた。（　）
8 **セン**用の工具を使って分解する。（　）
9 **カン**板に店までの道順を示す。（　）
10 朝起きたら水を飲む習**カン**がある。（　）

2×20

/40

(十) 次の――線のカタカナを漢字になおしなさい。

1 銀行で**ヨキン**を引き出す。（　）
2 新しい勉強**ヅクエ**を買ってもらった。（　）
3 眼科で**シリョク**検査を受けた。（　）
4 師の言葉を胸に**キザ**みこむ。（　）
5 初めて**サクシ**作曲をした。（　）
6 なかなか**ホネ**の折れる仕事だ。（　）
7 木曜日に**シュウカンシ**を買う。（　）
8 かぎを無くして**コマ**った。（　）
9 **ジシャク**で方角を知る。（　）
10 **スナヤマ**をつくって遊ぶ。（　）
11 **シャクド**は人それぞれだ。（　）
12 銀行で支払（はら）いを**ス**ます。（　）
13 この村は**ヨウサン**農家が多い。（　）
14 兄弟げんかを公平に**サバ**く。（　）
15 **トウジ**にかぼちゃを食べた。（　）
16 **ワタシ**あてのはがきを受け取る。（　）
17 カメラを**ネギ**って買った。（　）
18 良い物、悪い物を**シュシャ**する。（　）
19 **ハンシャ**的に顔をそむけた。（　）
20 雨**フ**って地固まる（　）

5級

第9回★テスト（60分）

◇合計点◇

200点満点の（　　　点）

- 140点以上　合格
- 110点以上　合格まであと一歩
- 80点以上　さらに努力を
- 79点以下　受検級を考え直しましょう

1×20　　／20

（一）次の――線の漢字の読みをひらがなで書きなさい。

1 校内の美化を推進する。（　　）
2 生徒たちは我先に走り出した。（　　）
3 住んでいる地域の伝承について調べた。（　　）
4 トンボが水辺に卵を産みつけた。（　　）
5 台風により道路が寸断された。（　　）
6 医師に胃下垂だと言われた。（　　）
7 異なる国の人たちが集まる。（　　）
8 祖母から保存食の作り方を習う。（　　）
9 大雨により遠足が来週に延びた。（　　）
10 電車の混雑が改善された。（　　）
11 線路に沿って歩き続ける。（　　）
12 ぼく専用のパソコンがある。（　　）
13 父は宣教師をつとめる。（　　）
14 山の頂で初日の出をむかえた。（　　）
15 クリスマスは気分が盛り上がる。（　　）
16 主人に忠誠をちかう。（　　）
17 ほおを染めてあいさつをする。（　　）
18 聖火台に火がともった。（　　）
19 洗い場に食器がたまる。（　　）
20 夜もすがら秋風聞くや裏の山（　　）

1×10　/10

(二)

次の漢字の部首と部首名を後の□の中から選び、記号で答えなさい。

〈例〉仲（う）（ク）
部首　部首名

聖　盛　善　垂　腸

	腸	垂	善	盛	聖
部首	1	3	5	7	9
部首名	2	4	6	8	10

あ 大　い 耳　う 亻　え 戈　お 皿　か 羊　き 一　く 土　け 口　こ 月

ア いち　イ くち　ウ ほこづくり・ほこがまえ
エ つち　オ だい　カ にくづき　キ ひつじ
ク にんべん　ケ さら　コ みみ

1×10　/10

(三)

次の漢字の太い画のところは筆順の何画目か、また総画数は何画か、算用数字（1、2、3…）で答えなさい。

〈例〉王（2）（4）
何画目　総画数

俵　賃　糖　痛　展

	俵	賃	糖	痛	展
何画目	1	3	5	7	9
総画数	2	4	6	8	10

10	9	8	7	6	5	4	3	2	1

(四)

2×5 ／10

次の――線のカタカナの部分を漢字一字と送りがな(ひらがな)になおしなさい。

〈例〉運が**ヒラケル**。 開ける

1 お客様の荷物を**アズカル**。（　　）

2 父が**キビシイ**顔をして帰ってきた。（　　）

3 読み終わった本を**トジル**。（　　）

4 先生の声が低くて聞き**アヤマル**。（　　）

5 強風で教室の窓ガラスが**ワレル**。（　　）

(五)

2×10 ／20

漢字の読みには音と訓があります。次の熟語の読みは□の中のどの組み合わせになっていますか。ア～エの記号で答えなさい。

ア 音と音　イ 音と訓
ウ 訓と訓　エ 訓と音

1 字引（　　）
2 生傷（　　）
3 図星（　　）
4 古本（　　）
5 指図（　　）
6 雑誌（　　）
7 指輪（　　）
8 野原（　　）
9 磁石（　　）
10 急病（　　）

第9回

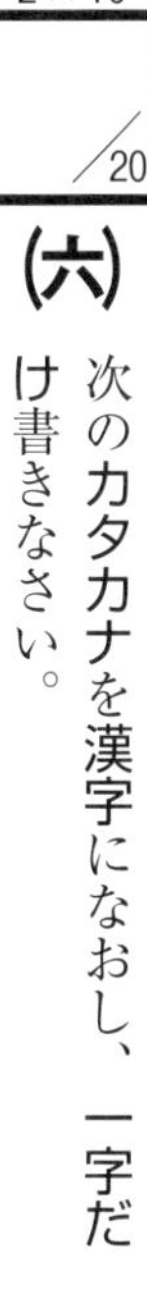

(六)

2×10 /20

次のカタカナを漢字になおし、一字だけ書きなさい。

1 名**チョ**復刊

2 物資**キョウ**給

3 **ケイ**老精神

4 負**タン**軽減

5 信号無**シ**

6 **キョウ**土料理

7 喜**ゲキ**役者

8 一**コク**千金

9 過**ゲキ**思想

10 鉄**キン**住宅

1	2	3	4	5	6	7	8	9	10

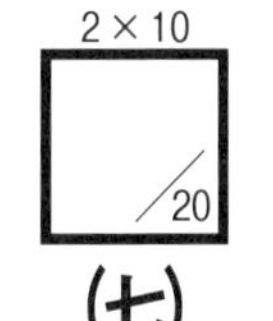

(七)

2×10 /20

後の□の中のひらがなを漢字になおして、**対義語**(意味が反対や対(つい)になることば)と、**類義語**(意味がよくにたことば)を書きなさい。□の中のひらがなは**一度だけ**使い、**漢字一字**を書きなさい。

対義語

好意―(1)意

用心―(2)断

中断―(3)続

受動―(4)動

精読―(5)読

類義語

規則―規(6)

上等―(7)良

関心―(8)味

明日―(9)日

質素―(10)素

かん　きょう　じ　てき　のう　ゆ　ゆう　よく　らん　りつ

1	2	3	4	5	6	7	8	9	10

2×5 ／10

(八)

後の□の中から漢字を選んで、次の意味にあてはまる**熟語**を作りなさい。答えは**記号**で書きなさい。

〈例〉ひつじのけのこと。（羊毛） シ サ

1 人がもうじき死ぬというとき。

2 うまくだますためのはかりごと。

3 お寺のこと。

4 うれしいことを知らせる通知。

5 物事をはかどらせない、さしさわり。

1	2	3	4	5

ア 障　イ 略　ウ 閣　エ 報　オ 臨　カ 朗
キ 終　ク 仏　ケ 策　コ 支　サ 毛　シ 羊

2×10 ／20

(九)

漢字を二字組み合わせた熟語では、二つの漢字の間に意味の上で、次のような関係があります。

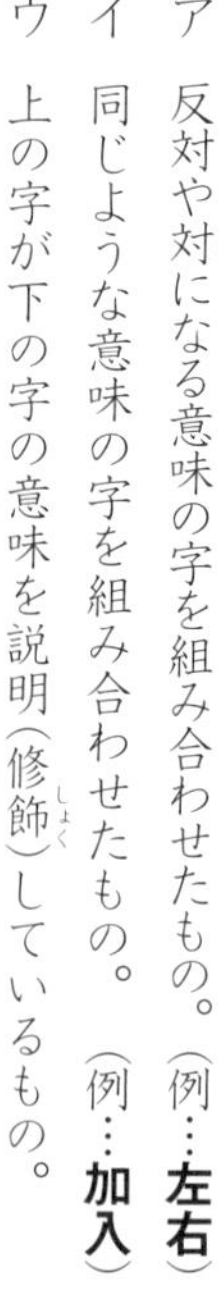

ア 反対や対になる意味の字を組み合わせたもの。（例…**左右**）

イ 同じような意味の字を組み合わせたもの。（例…**加入**）

ウ 上の字が下の字の意味を説明（修飾）しているもの。（例…**小島**）

エ 下の字から上の字へ返って読むと意味がよくわかるもの。（例…**入会**）

次の**熟語**は、右のア〜エのどれにあたるか、**記号**で答えなさい。

1 思想（　）　2 地層（　）　3 歌詞（　）

4 異国（　）　5 除草（　）　6 児童（　）

7 授受（　）　8 寒暖（　）　9 功罪（　）

10 始業（　）

2×10 ／20

(十)

次の━━線の**カタカナ**を**漢字**になおしなさい。

1 不漁によりさんまの**ネ**が上がる。（　）

2 **ネ**も葉もないうわさ話だ。（　）

第9回

3 新**ヤク**聖書を読み始める。（　　）
4 将来は通**ヤク**の仕事に就きたい。（　　）
5 庭園は**メイ**路のような作りだった。（　　）
6 国際連合に加**メイ**する。（　　）
7 **ユウ**便受けに新聞を配達した。（　　）
8 **ユウ**先席をゆずる。（　　）
9 希**ボウ**していた学校に進学した。（　　）
10 入院して十日で死**ボウ**した。（　　）

2×20

□／40

(十) 次の――線のカタカナを漢字になおしなさい。

1 **ワタクシ**はひとりっ子です。（　　）
2 **カタ**側三車線の道路を走る。（　　）
3 **シュウショク**活動を始める。（　　）
4 **カイコ**はまゆをつくる。（　　）
5 母は年齢より**ワカ**く見える。（　　）
6 **ハラ**を割ってじっくり話す。（　　）
7 **イタ**れりつくせりのもてなしだ。（　　）
8 医者が薬の**ショホウ**をする。（　　）
9 **スガタミ**で全身をうつす。（　　）
10 **ミジュク**者なりに努力する。（　　）
11 的を**イ**た発言をほめられた。（　　）
12 店を半分に**シュクショウ**する。（　　）
13 うちの犬は**ジュウジュン**だ。（　　）
14 倉庫を整理して出たごみを**ス**てた。（　　）
15 **ジュウオウ**にコートを走る。（　　）
16 **タイシュウ**の前で演説をする。（　　）
17 **カジュエン**へ行くのが楽しみだ。（　　）
18 **ジュンド**の高い酒を買う。（　　）
19 式場の様子をカメラに**オサ**めた。（　　）
20 子を持って知る親の**オン**（　　）

5級

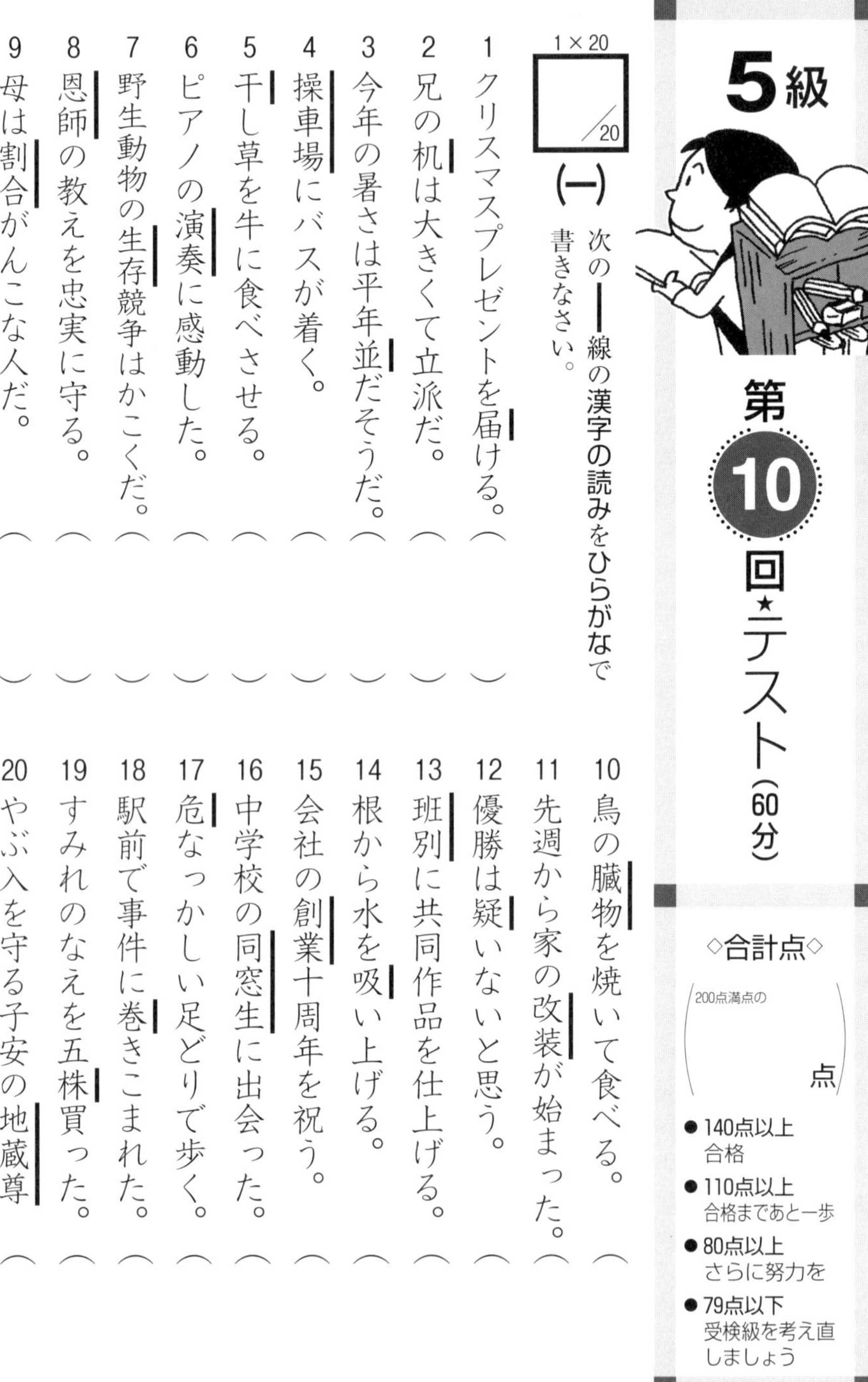

第10回★テスト（60分）

◇合計点◇

（200点満点の　　　点）

- 140点以上　合格
- 110点以上　合格まであと一歩
- 80点以上　さらに努力を
- 79点以下　受検級を考え直しましょう

1×20　／20

(一) 次の――線の漢字の読みをひらがなで書きなさい。

1 クリスマスプレゼントを届ける。（　　）
2 兄の机は大きくて立派だ。（　　）
3 今年の暑さは平年並だそうだ。（　　）
4 操車場にバスが着く。（　　）
5 干し草を牛に食べさせる。（　　）
6 ピアノの演奏に感動した。（　　）
7 野生動物の生存競争はかこくだ。（　　）
8 恩師の教えを忠実に守る。（　　）
9 母は割合がんこな人だ。（　　）
10 鳥の臓物を焼いて食べる。（　　）
11 先週から家の改装が始まった。（　　）
12 優勝は疑いないと思う。（　　）
13 班別に共同作品を仕上げる。（　　）
14 根から水を吸い上げる。（　　）
15 会社の創業十周年を祝う。（　　）
16 中学校の同窓生に出会った。（　　）
17 危なっかしい足どりで歩く。（　　）
18 駅前で事件に巻きこまれた。（　　）
19 すみれのなえを五株買った。（　　）
20 やぶ入を守る子安の地蔵尊（　　）

1×10

/10

(二) 次の漢字の部首と部首名を後の□の中から選び、記号で答えなさい。

〈例〉 仲（う）（ク） 部首 部首名

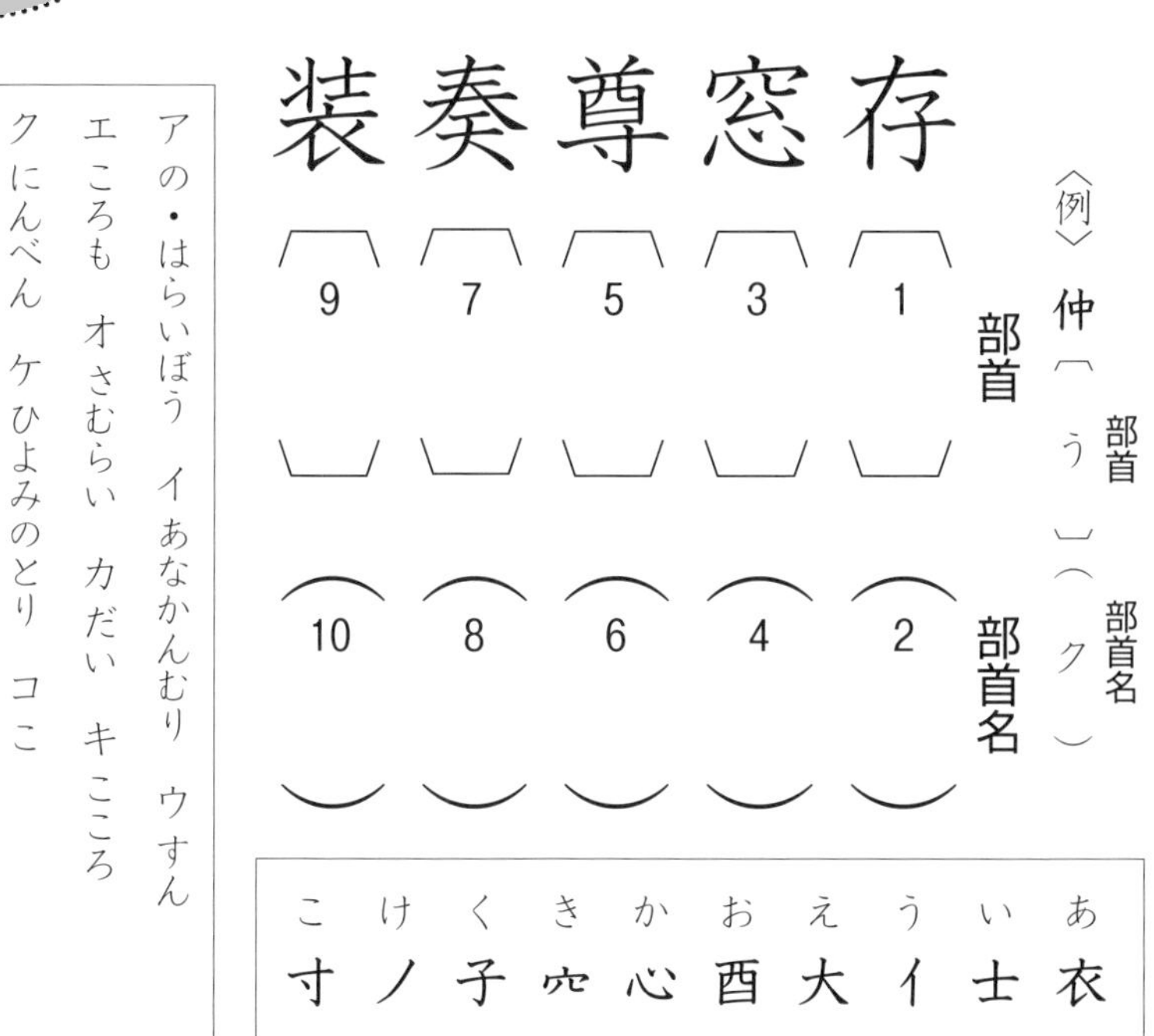

あ	い	う	え	お	か	き	く	け	こ
衣	士	亻	大	酉	心	穴	子	ノ	寸

ア の・はらいぼう　イ あなかんむり　ウ すん
エ ころも　オ さむらい　カ だい　キ こころ
ク にんべん　ケ ひよみのとり　コ こ

1×10

/10

(三) 次の漢字の太い画のところは筆順の何画目か、また総画数は何画か、算用数字（1、2、3…）で答えなさい。

〈例〉 王（2）（4） 何画目 総画数

10	9	8	7	6	5	4	3	2	1

2×5
/10

(四)

次の━━線のカタカナの部分を漢字一字と送りがな(ひらがな)になおしなさい。

〈例〉運が**ヒラケル**。 開ける

1 仏前に花を**ソナエル**。（　　）

2 みそしるに入れるねぎを**キザム**。（　　）

3 **ステル**神あれば拾う神あり。（　　）

4 自分の欠点を**ミトメル**。（　　）

5 この冬は**アタタカイ**日が多い。（　　）

2×10
/20

(五)

漢字の読みには音と訓があります。次の熟語の読みは□の中のどの組み合わせになっていますか。ア〜エの記号で答えなさい。

ア 音と音	イ 音と訓
ウ 訓と訓	エ 訓と音

1 酒代（　　）

2 若者（　　）

3 清純（　　）

4 宿賃（　　）

5 縦笛（　　）

6 敵方（　　）

7 政党（　　）

8 手順（　　）

9 絵心（　　）

10 熟語（　　）

(六)

2×10 ／20

次のカタカナを漢字になおし、一字だけ書きなさい。

1 **コ**吸困難
2 主**ケン**在民
3 通学区**イキ**
4 児童**ケン**章
5 **セン**戦布告
6 観光資**ゲン**
7 **キヌ**織物業
8 時間**ゲン**守
9 政治討**ロン**
10 自**コ**満足

1	2	3	4	5	6	7	8	9	10

(七)

2×10 ／20

後の□の中のひらがなを漢字になおして、対義語（意味が反対や対(つい)になることば）と、類義語（意味がよくにたことば）を書きなさい。□の中のひらがなは一度だけ使い、漢字一字を書きなさい。

対義語

勝利―（1）北
往復―（2）道
可決―（3）決
原本―（4）本
冷静―興（5）

類義語

引退―辞（6）
運送―運（7）
図案―（8）様
加入―加（9）
早急―（10）急

かた　し　にん　はい　ひ　ふん　めい　も　やく　ゆ

1	2	3	4	5	6	7	8	9	10

(八) 2×5 ／10

後の□の中から漢字を選んで、次の意味にあてはまる**熟語**を作りなさい。答えは**記号**で書きなさい。

〈例〉ひつじのけのこと。（羊毛）シ サ

1 ものごとのうつりかわり。

2 火事が、他の建物にまで広がること。

3 わすれたりなくしたりすること。

4 光によってうつしだされた物のすがた。

5 世間に知られていないめずらしい話。

1	2	3	4	5

ア 革　イ 延　ウ 異　エ 失　オ 像　カ 遺
キ 聞　ク 映　ケ 焼　コ 沿　サ 毛　シ 羊

(九) 2×10 ／20

漢字を二字組み合わせた熟語では、二つの漢字の間に意味の上で、次のような関係があります。

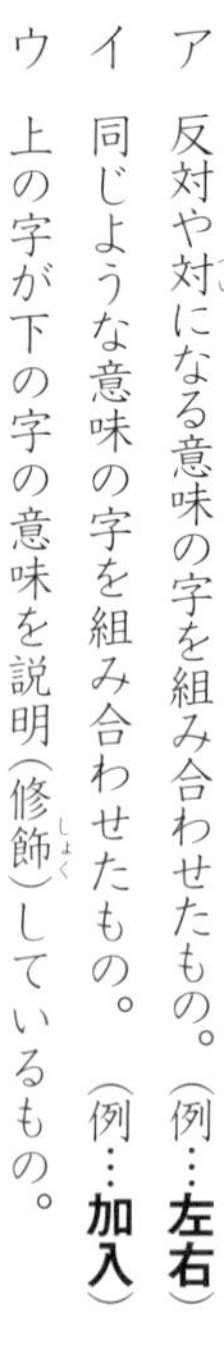
ア 反対や対になる意味の字を組み合わせたもの。（例…**左右**）
イ 同じような意味の字を組み合わせたもの。（例…**加入**）
ウ 上の字が下の字の意味を説明（修飾）しているもの。（例…**小島**）
エ 下の字から上の字へ返って読むと意味がよくわかるもの。（例…**入会**）

次の**熟語**は、右のア〜エのどれにあたるか、**記号**で答えなさい。

1 樹木（　）　2 縦横（　）　3 連続（　）
4 灰色（　）　5 退場（　）　6 開閉（　）
7 強弱（　）　8 純金（　）　9 居住（　）
10 就職（　）

(十) 2×10 ／20

次の――線の**カタカナ**を漢字になおしなさい。

1 食後に胃**チョウ**薬を飲んだ。（　）
2 山の**チョウ**上で弁当を食べる。（　）

3 **アラ**たな力がわく。（　　）
4 休みの日にくつを**アラ**った。（　　）
5 くじが当たる確**リツ**を計算する。（　　）
6 学校の規**リツ**を守る。（　　）
7 母に料理の**キ**本を教えてもらう。（　　）
8 練習の成果を試合で発**キ**したい。（　　）
9 **カン**潔に意見を述べよ。（　　）
10 駅の**カン**成予想図が発表された。（　　）

2×20
／40

(十) 次の——線のカタカナを漢字になおしなさい。

1 大切な**タカラモノ**を庭にうめた。（　　）
2 破れた**ショウジ**をはりかえた。（　　）
3 となり町の友人を**タズ**ねた。（　　）
4 買い物をしてつり**セン**を受け取る。（　　）
5 **アヤマ**った答えを書いてしまう。（　　）
6 **ジョウキ**アイロンをかける。（　　）
7 セーターを洗ったら**チヂ**んだ。（　　）
8 **タンシン**が四時を指している。（　　）
9 子ヤギが**チチ**を飲んでいる。（　　）
10 母は**ワス**れっぽくなった。（　　）
11 年の**ク**れの商店街はにぎやかだ。（　　）
12 ブドウ**トウ**は血液にもふくまれている。（　　）
13 **ショウライ**を期待されている。（　　）
14 ダム建設反対の**ショメイ**をした。（　　）
15 言葉の暴力により心が**キズ**ついた。（　　）
16 **ハイ**は酸素を体内に取りこむ働きをもつ。（　　）
17 よく目立つ**カンバン**を取り付ける。（　　）
18 天気**セイロウ**で気持ちいい。（　　）
19 顔のいぼを取り**ノゾ**いた。（　　）
20 老いては子に**シタガ**え（　　）

5級

第11回★テスト（60分）

◇合計点◇

200点満点の　　点

- 140点以上　合格
- 110点以上　合格まであと一歩
- 80点以上　さらに努力を
- 79点以下　受検級を考え直しましょう

1×20　／20

(一) 次の――線の漢字の読みをひらがなで書きなさい。

1 訳知り顔でみなに話す。（　）
2 皇太后陛下が行事にお出ましになった。（　）
3 物の価値を正しく判断する。（　）
4 米俵を荷車にのせて運ぶ。（　）
5 いつか宇宙を遊泳してみたい。（　）
6 キリストの生誕を祝う。（　）
7 新しく別の会社に勤める。（　）
8 著者に読後感を書き送った。（　）
9 火山灰が遠くまで運ばれた。（　）
10 姉は気象庁で働いている。（　）
11 希望に胸をふくらます。（　）
12 別段気にもならなかった。（　）
13 雨による増水で川の流れが激しい。（　）
14 今朝はかなり暖かかった。（　）
15 落雷（らい）による火災で自宅が焼けた。（　）
16 主人が供をつれて歩く。（　）
17 担任の先生が代わった。（　）
18 穴子のテンプラを食べた。（　）
19 宝探しのイベントが開かれる。（　）
20 孝行な子どもらにふとん一つずつ（　）

(二)

1×10　／10

次の漢字の部首と部首名を後の□の中から選び、記号で答えなさい。

〈例〉仲〔う〕〔ク〕（部首・部首名）

	部首	部首名
俵	1〔　〕	2（　）
段	3〔　〕	4（　）
忠	5〔　〕	6（　）
著	7〔　〕	8（　）
頂	9〔　〕	10（　）

あ 日　い 頁　う 亻　え 心　お 耂　か 艹　き 亅　く 殳　け 广　こ 又

ア また　イ おいかんむり　ウ ひ　エ まだれ　オ おおがい　カ るまた・ほこづくり　キ こころ　ク にんべん　ケ くさかんむり　コ はねぼう

(三)

1×10　／10

次の漢字の太い画のところは筆順の何画目か、また総画数は何画か、算用数字（1、2、3…）で答えなさい。

〈例〉王〔2〕〔4〕（何画目・総画数）

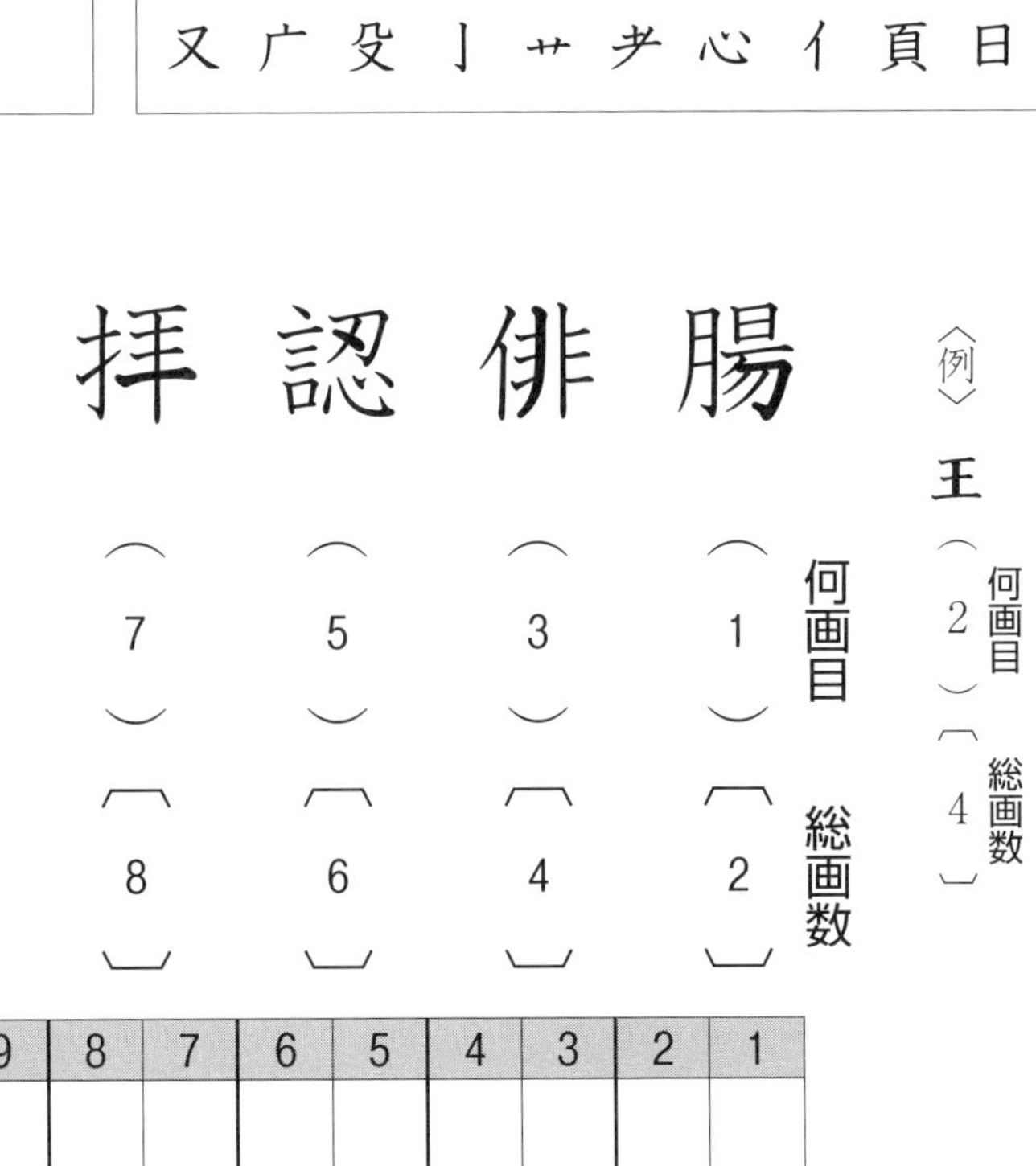

	何画目	総画数
腸	1（　）	2〔　〕
俳	3（　）	4〔　〕
認	5（　）	6〔　〕
拝	7（　）	8〔　〕
派	9（　）	10〔　〕

10	9	8	7	6	5	4	3	2	1

(四) 2×5 /10

次の━━線のカタカナの部分を漢字一字と送りがな(ひらがな)になおしなさい。

〈例〉 運が**ヒラケル**。 開ける

1 台風のため出発が三日**ノビル**。（　　）

2 先生の立てた計画に**シタガウ**。（　　）

3 **アブナイ**遊びはしない。（　　）

4 風船が破れて一気に**チヂム**。（　　）

5 年長者を**ウヤマウ**気持ちを忘れない。（　　）

(五) 2×10 /20

漢字の読みには音と訓があります。次の熟語の読みは□の中のどの組み合わせになっていますか。ア〜エの記号で答えなさい。

ア 音と音　イ 音と訓
ウ 訓と訓　エ 訓と音

1 先手（　　）
2 身分（　　）
3 若草（　　）
4 職場（　　）
5 蒸発（　　）
6 署名（　　）
7 花火（　　）
8 塩気（　　）
9 例外（　　）
10 真夏（　　）

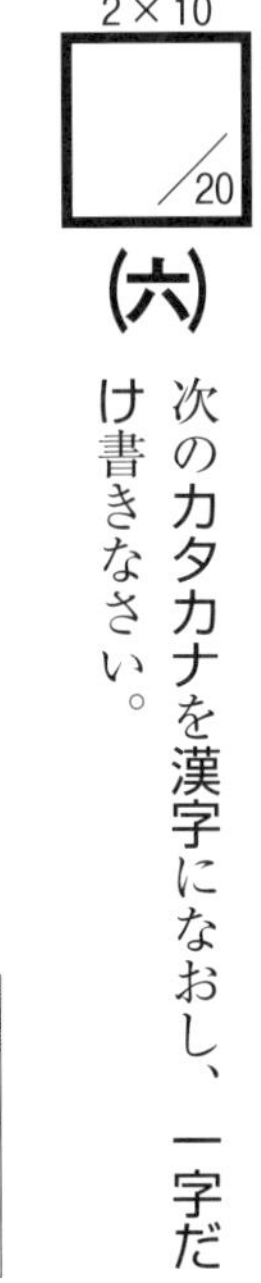

(六)

2×10 ／20

次のカタカナを漢字になおし、一字だけ書きなさい。

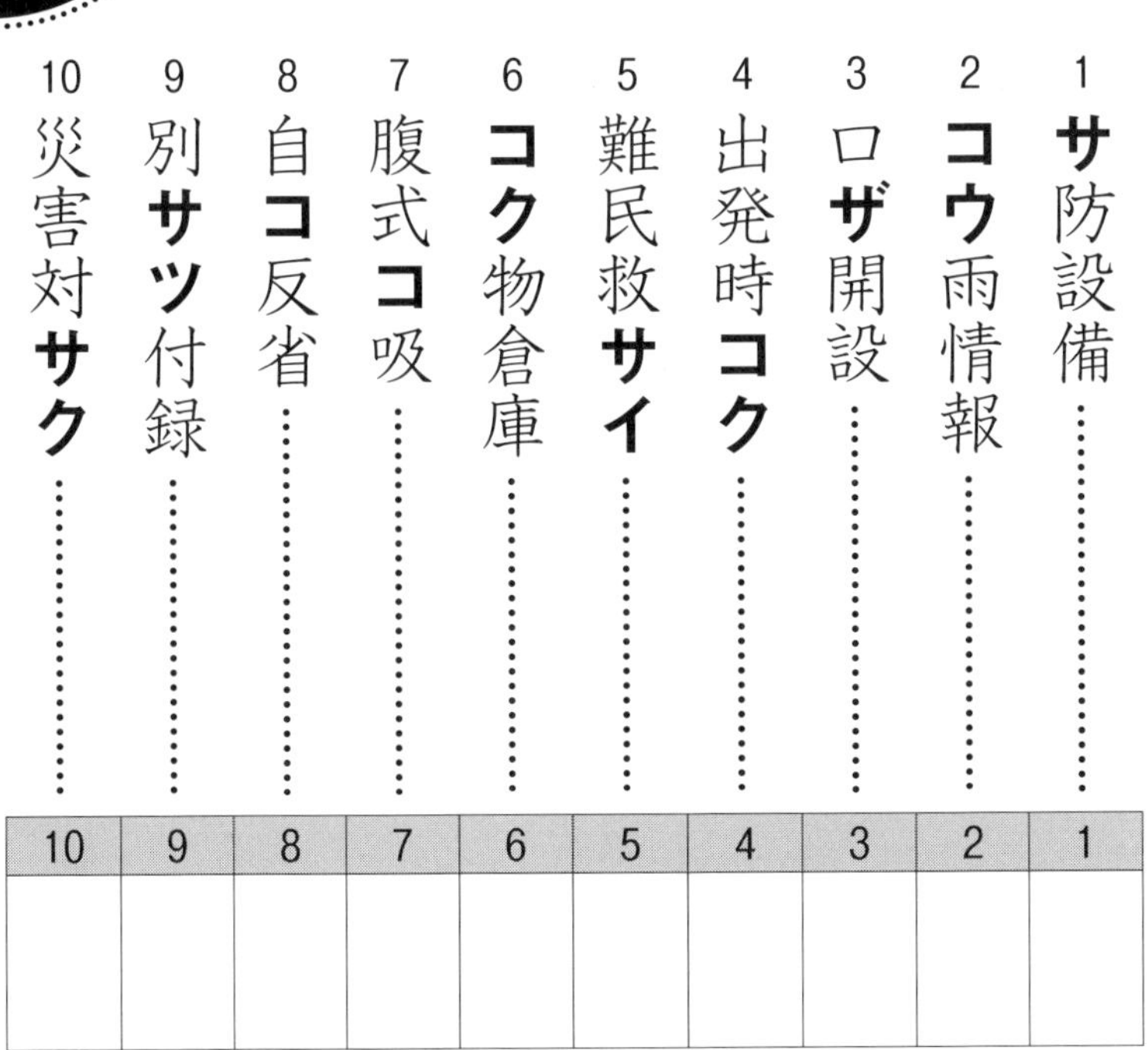

1 **サ**防設備……

2 **コウ**雨情報……

3 ロ**ザ**開設……

4 出発時**コク**……

5 難民救**サイ**……

6 **コク**物倉庫……

7 腹式**コ**吸……

8 自**コ**反省……

9 別**サツ**付録……

10 災害対**サク**……

1	2	3	4	5	6	7	8	9	10

(七)

2×10 ／20

後の□の中のひらがなを漢字になおして、**対義語**（意味が反対や対(つい)になることば）と、**類義語**（意味がよくにたことば）を書きなさい。□の中のひらがなは**一度だけ**使い、**漢字一字**を書きなさい。

対義語

進化―（1）化

散在―（2）集

出生―死（3）

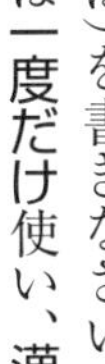

辞任―（4）任

連続―（5）続

類義語

展望―（6）界

基準―（7）度

序列―（8）序

構造―組（9）

注意―（10）告

けい　し　しき　しゃく　しゅう　じゅん　たい　だん　ぼう　みっ

1	2	3	4	5	6	7	8	9	10

2×10 /20

(八)

2×5 /10

後の□の中から漢字を選んで、次の意味にあてはまる**熟語**を作りなさい。答えは**記号**で書きなさい。

〈例〉ひつじのけのこと。（羊毛） シ｜サ

1 ひじょうに大切であること。

2 本や雑誌のはじめのところ。

3 海水が引いて海面がひくくなる状態。

4 持っている力を外に表して見せること。

5 よくわからないこと、なっとくできないこと。

1	2	3	4	5

ア問　イ揮　ウ頭　エ貴　オ疑　カ発
キ重　ク潮　ケ干　コ巻　サ毛　シ羊

(九)

2×10 /20

漢字を二字組み合わせた熟語では、二つの漢字の間に意味の上で、次のような関係があります。

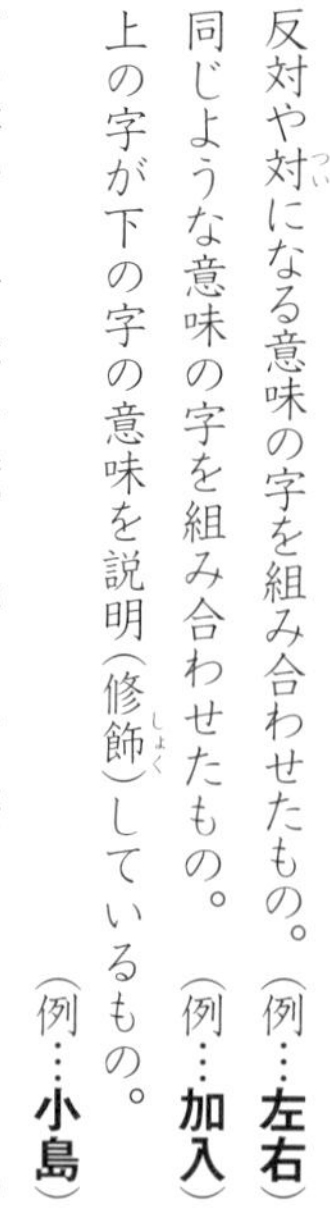

ア　反対や対(つい)になる意味の字を組み合わせたもの。（例…**左右**）
イ　同じような意味の字を組み合わせたもの。（例…**加入**）
ウ　上の字が下の字の意味を説明（修飾(しょく)）しているもの。（例…**小島**）
エ　下の字から上の字へ返って読むと意味がよくわかるもの。（例…**入会**）

次の**熟語**は、右のア〜エのどれにあたるか、**記号**で答えなさい。

1 賞賛（　　）　2 男女（　　）　3 除草（　　）
4 諸国（　　）　5 消火（　　）　6 救助（　　）
7 視力（　　）　8 土蔵（　　）　9 激減（　　）
10 寒暑（　　）

(十)

2×10 /20

次の——線の**カタカナ**を**漢字**になおしなさい。

1 詩を毛筆で書き**ウツ**した。（　　）
2 湖面に**ウツ**る夕日が美しい。（　　）

第11回

3 実験**ソウ**置を点検する。（　　）

4 ロケットは成**ソウ**圏（けん）に入った。（　　）

5 銀行で**ヨ**金残高を確認する。（　　）

6 **ヨ**計なおせっかいだと言われた。（　　）

7 **カク**式のあるレストランで食事をした。（　　）

8 道路を**カク**張した。（　　）

9 電波**ショウ**害により電話がつながらない。（　　）

10 生徒会の**ショウ**認を得た。（　　）

(十)

2×20　／40

次の——線のカタカナを漢字になおしなさい。

1 手ぶくろを**カタホウ**なくした。（　　）

2 考え方が**オサナ**いといわれる。（　　）

3 足の**キズ**が大分良くなった。（　　）

4 政治の**ミダ**れが目に余る。（　　）

5 旅館の料理に**シタ**つづみをうつ。（　　）

6 **タマゴ**色のシャツを着る。（　　）

7 **ハリ**に糸を通し、ぬい始める。（　　）

8 **ウラカタ**として働きたい。（　　）

9 **サイゼン**の策をとる。（　　）

10 **イズミ**のほとりで昼食をとる。（　　）

11 ぼうを**スイチョク**に立てる。（　　）

12 一日中詩作に**センネン**する。（　　）

13 計画をみんなで**スイシン**する。（　　）

14 どろだらけの服を**アラ**う。（　　）

15 **ゲンスン**大のこん虫の模型を作る。（　　）

16 教会で**セイボ**マリアを拝む。（　　）

17 **セイジツ**な人がらで好かれる。（　　）

18 **センキョウ**師として来日した。（　　）

19 新しい**ナイカク**の顔ぶれが決まった。（　　）

20 **ショクヨク**の秋（　　）

5級

第12回★テスト（60分）

◇合計点◇

200点満点の（　　　点）

- 140点以上　合格
- 110点以上　合格まであと一歩
- 80点以上　さらに努力を
- 79点以下　受検級を考え直しましょう

1×20　／20

（一）次の――線の漢字の読みをひらがなで書きなさい。

1 祖父は社長の地位から退いた。（　　）
2 情操教育に力を入れる。（　　）
3 弟たちと公園を散策する。（　　）
4 絹ごしの豆腐（ふ）が好きだ。（　　）
5 クラスで討論会を行った。（　　）
6 春先は表層なだれが多い。（　　）
7 日本一の流域面積を誇（ほこ）る川だ。（　　）
8 目の前にある川の源をたどる。（　　）
9 すっかり山の頂が白くなった。（　　）
10 糖分をひかえめにする。（　　）
11 校庭でころんで手を痛める。（　　）
12 冬の寒さが厳しくてつらい。（　　）
13 お祭りの仮装行列に参加する。（　　）
14 船賃が値上げになった。（　　）
15 物売りの呼び声が大きい。（　　）
16 もうじき潮が満ちる。（　　）
17 乳白色の温泉につかった。（　　）
18 文字の誤りを見つけた。（　　）
19 心臓は体に血液を送り出す。（　　）
20 捨てやらで柳（やなぎ）さしけり雨のひま（　　）

第12回

(二)

1×10

/10

次の漢字の部首と部首名を後の□の中から選び、記号で答えなさい。

〈例〉仲〔う〕（ク）
部首　部首名

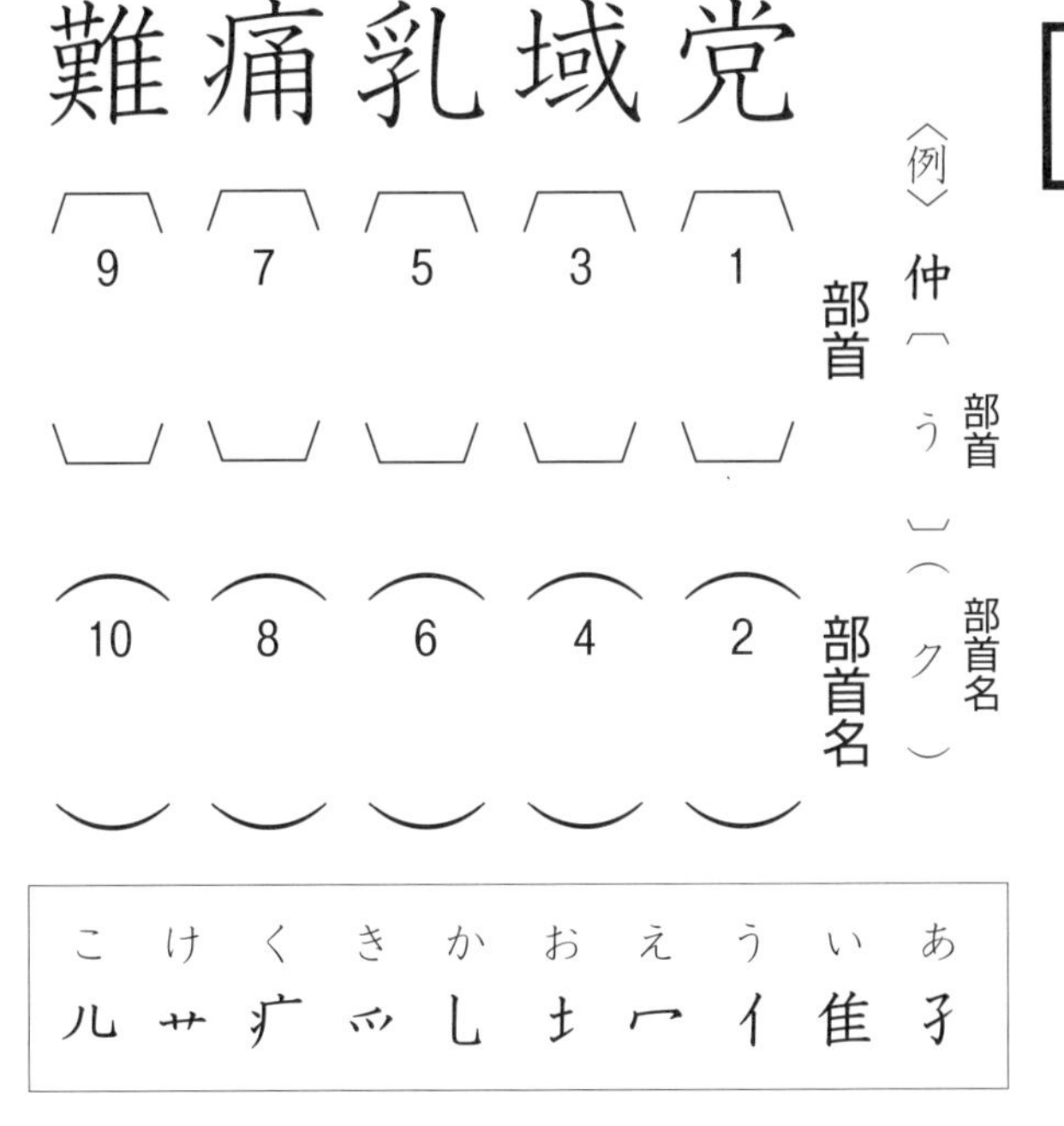

難　痛　乳　域　党

部首　1 3 5 7 9

部首名　2 4 6 8 10

あ 子　い 隹　う 亻　え 冖　お 土　か し　き ⺍　く 疒　け 艹　こ 儿

ア ひとあし・にんにょう　イ こへん　ウ おつ
エ つめかんむり　オ ふるとり　カ やまいだれ
キ わかんむり　ク にんべん　ケ くさかんむり
コ つちへん

(三)

1×10

/10

次の漢字の太い画のところは筆順の何画目か、また総画数は何画か、算用数字（1、2、3…）で答えなさい。

〈例〉王（2）〔4〕
何画目　総画数

暖　宙　誕　値　段

何画目　1 3 5 7 9

総画数　2 4 6 8 10

10	9	8	7	6	5	4	3	2	1

(四) 2×5 /10

次の――線のカタカナの部分を漢字一字と送りがな(ひらがな)になおしなさい。

〈例〉 運が**ヒラケル**。 開ける

1 国宝の仏像を**オガム**。（　　）

2 **オサナイ**弟と公園で遊ぶ。（　　）

3 毎年税金を**オサメル**。（　　）

4 理由を一つ一つ**ナラベル**。（　　）

5 負けを**ミトメル**のは時間がかかる。（　　）

(五) 2×10 /20

漢字の読みには音と訓があります。次の**熟語の読み**は□の中のどの組み合わせになっていますか。ア〜エの記号で答えなさい。

ア 音と音　イ 音と訓
ウ 訓と訓　エ 訓と音

1 引退（　　）

2 番組（　　）

3 聖火（　　）

4 船旅（　　）

5 宣伝（　　）

6 西側（　　）

7 夕日（　　）

8 正札（　　）

9 砂絵（　　）

10 布地（　　）

(六)

2×10 ／20

次のカタカナを漢字になおし、一字だけ書きなさい。

1 一進一**タイ**……
2 **シ**上命令……
3 **ユウ**便配達……
4 公**シ**混同……
5 直**シャ**日光……
6 技術**カク**新……
7 大雨**ケイ**報……
8 **シ**察旅行……
9 親**ゼン**試合……
10 形容動**シ**……

10	9	8	7	6	5	4	3	2	1

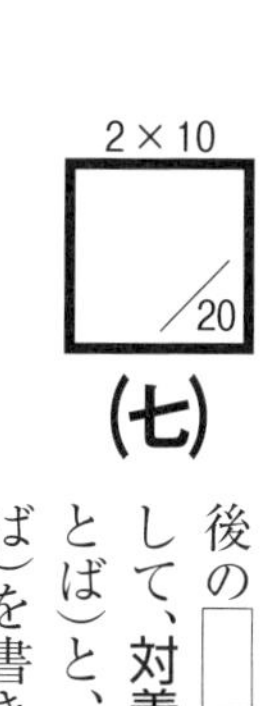

(七)

2×10 ／20

後の□の中のひらがなを漢字になおして、**対義語**(意味が反対や対[つい]になることば)と、**類義語**(意味がよくにたことば)を書きなさい。□の中のひらがなは**一度だけ**使い、**漢字一字**を書きなさい。

対義語

公開―(1)密
定例―(2)時
悲報―(3)報
公海―(4)海
誕生―死(5)

類義語

始末―(6)理
未来―(7)来
同志―(8)友
結束―(9)結
教示―指(10)

しょ　しょう　だん　どう　ひ　ぼう　めい　りょう　りん　ろう

10	9	8	7	6	5	4	3	2	1

(八) 2×5 /10

後の□の中から漢字を選んで、次の意味にあてはまる熟語を作りなさい。答えは**記号**で書きなさい。

〈例〉 ひつじのけのこと。（羊毛） シ サ

1 大変いそがしい仕事。
2 自分の生まれそだった土地。
3 ものごとがつながりをもってならんでいること。
4 なにごとにも動じない心。
5 まだ人にあまり知られていない、よいところ。

1	2	3	4	5

ア 胸　イ 統　ウ 場　エ 郷　オ 穴　カ 激
キ 務　ク 里　ケ 度　コ 系　サ 毛　シ 羊

(九) 2×10 /20

漢字を二字組み合わせた熟語では、二つの漢字の間に意味の上で、次のような関係があります。

ア 反対や対になる意味の字を組み合わせたもの。（例…**左右**）
イ 同じような意味の字を組み合わせたもの。（例…**加入**）
ウ 上の字が下の字の意味を説明（修飾）しているもの。（例…**小島**）
エ 下の字から上の字へ返って読むと意味がよくわかるもの。（例…**入会**）

次の**熟語**は、右のア〜エのどれにあたるか、**記号**で答えなさい。

1 戦争（　）　2 前後（　）　3 品質（　）
4 育児（　）　5 挙式（　）　6 建築（　）
7 立腹（　）　8 時刻（　）　9 東西（　）
10 諸国（　）

(十) 2×10 /20

次の**―**線の**カタカナ**を**漢字**になおしなさい。

1 仏前に花を**ソナ**える。（　）
2 試合に**ソナ**えて練習する。（　）

3 キ重な動物の化石が発見された。（　　）
4 どうやらキ機は過ぎたようだ。（　　）
5 土ヒョウに上がった力士に声援（えん）が飛ぶ。（　　）
6 新発売された車をヒョウ価する。（　　）
7 アメリカ合シュウ国の歴史を学んだ。（　　）
8 栄養を吸シュウする。（　　）
9 答案用紙をカク認する。（　　）
10 技術のカク新が進む。（　　）

(十)

2×20 /40

次の――線のカタカナを漢字になおしなさい。

1 アラいざらい調べ上げる。（　　）
2 額から汗（あせ）がタれるほどの暑さだ。（　　）
3 性格のコトなる三人姉妹だ。（　　）
4 行事がモりだくさんだ。（　　）
5 父の顔がテレビにウツった。（　　）
6 家族でオンセンに出かける。（　　）
7 着物のソめ直しをお願いする。（　　）
8 ハープのエンソウ会に行く。（　　）
9 アイゾウしている本を貸す。（　　）
10 新しい雑誌がソウカンされた。（　　）
11 ノべ百万人以上が入場した。（　　）
12 家までのカンタンな地図をかく。（　　）
13 ムズカしい問題が発生した。（　　）
14 気が短いのは父方のイデンだ。（　　）
15 大事なコマをオンゾンする。（　　）
16 テンボウ台でひと休みする。（　　）
17 目上の人にソンダイな口をきく。（　　）
18 ワレこそはと名乗りをあげる。（　　）
19 道にソって店がならぶ。（　　）
20 シタはわざわいの根（　　）

5級 第13回★テスト（60分）

◇合計点◇

200点満点の（　　　点）

- 140点以上 合格
- 110点以上 合格まであと一歩
- 80点以上 さらに努力を
- 79点以下 受検級を考え直しましょう

(一) 次の――線の漢字の読みをひらがなで書きなさい。

1×20　／20

1 ねこ舌なので熱い食べ物が苦手だ。（　　）
2 誠意をもって人と接する。（　　）
3 朝早く神社に参拝した。（　　）
4 砂場をスコップでほる。（　　）
5 父が肺がんの手術を受けた。（　　）
6 昨晩強い地しんがあった。（　　）
7 ほとほと返答に困った。（　　）
8 頭脳的なプレーに感心した。（　　）
9 これが見納めかもしれない。（　　）
10 その例ならば枚挙にいとまがない。（　　）
11 妹は話し方がどこか幼い。（　　）
12 書類に認め印をおした。（　　）
13 クラスの班長会議に出席する。（　　）
14 父親が兄弟げんかを裁く。（　　）
15 祖父と俳句の勉強を始めた。（　　）
16 海から潮風がふいてきた。（　　）
17 特派員として中国へ行く。（　　）
18 富士山を背にして立った。（　　）
19 えんどう豆の筋を取る。（　　）
20 五月雨（さみだれ）の降りのこしてや光堂（　　）

(二)

1×10

/10

次の漢字の部首と部首名を後の□の中から選び、記号で答えなさい。

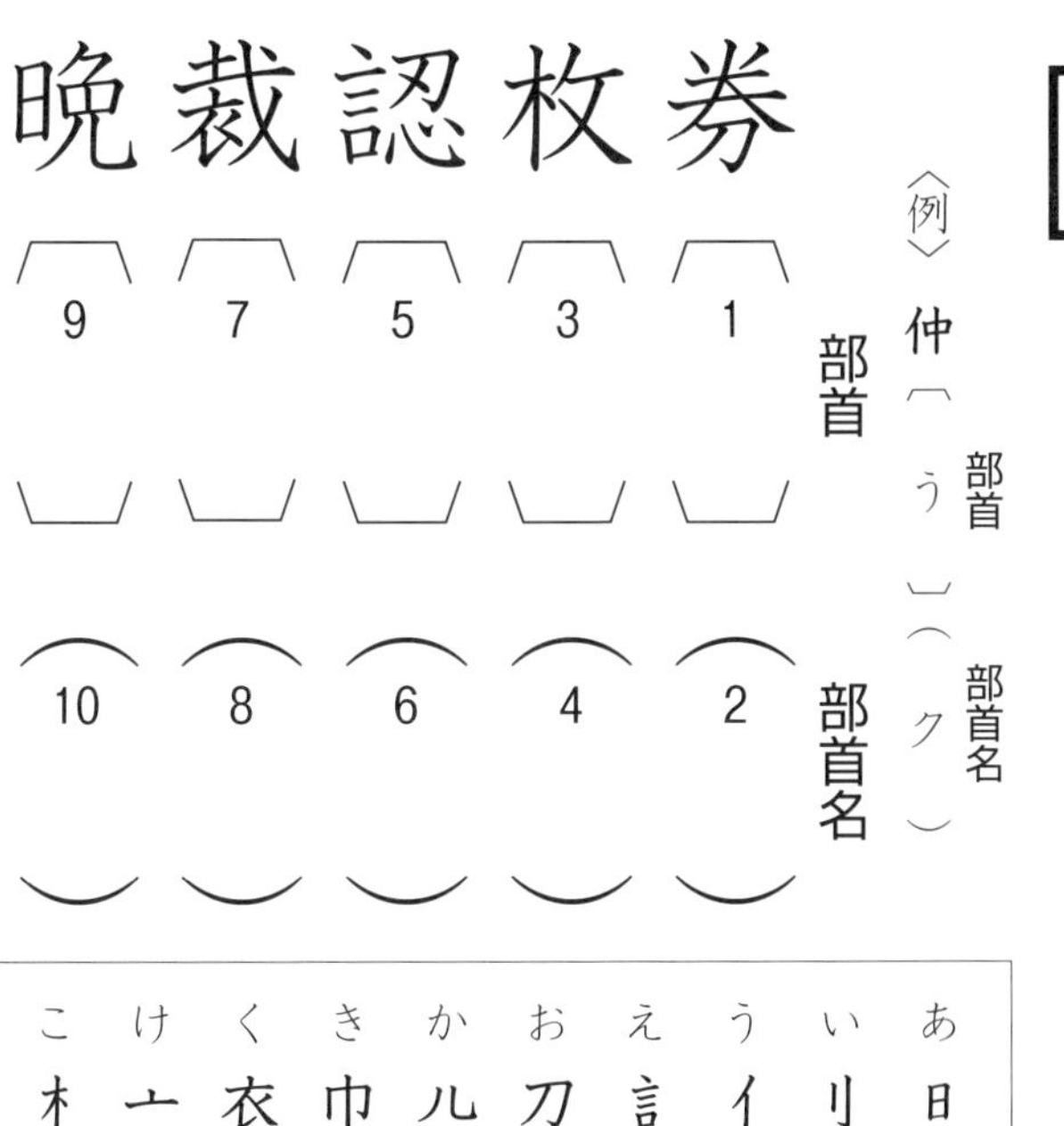

ア きへん　イ ごんべん　ウ なべぶた
エ ひへん　オ ひとあし・にんにょう　カ りっとう
キ はば　ク にんべん　ケ ころも　コ かたな

(三)

1×10

/10

次の漢字の太い画のところは筆順の何画目か、また総画数は何画か、算用数字（1、2、3…）で答えなさい。

10	9	8	7	6	5	4	3	2	1

2×5 /10

(四)

次の――線のカタカナの部分を漢字一字と送りがな（ひらがな）になおしなさい。

〈例〉運が**ヒラケル**。［開ける］

1 **ウタガワシイ**目で見られる。（　　）

2 きらいな野菜を取り**ノゾク**。（　　）

3 出発を明日に**ノバス**。（　　）

4 湖面に美しい月が**ウツル**。（　　）

5 頭が**ワレル**ように痛い。（　　）

2×10 /20

(五)

漢字の読みには音と訓があります。次の熟語の読みは［　］の中のどの組み合わせになっていますか。ア〜エの記号で答えなさい。

ア 音と音	イ 音と訓
ウ 訓と訓	エ 訓と音

1 台所（　　）

2 住民（　　）

3 鼻息（　　）

4 足代（　　）

5 帯状（　　）

6 内蔵（　　）

7 河辺（　　）

8 両側（　　）

9 装置（　　）

10 初雪（　　）

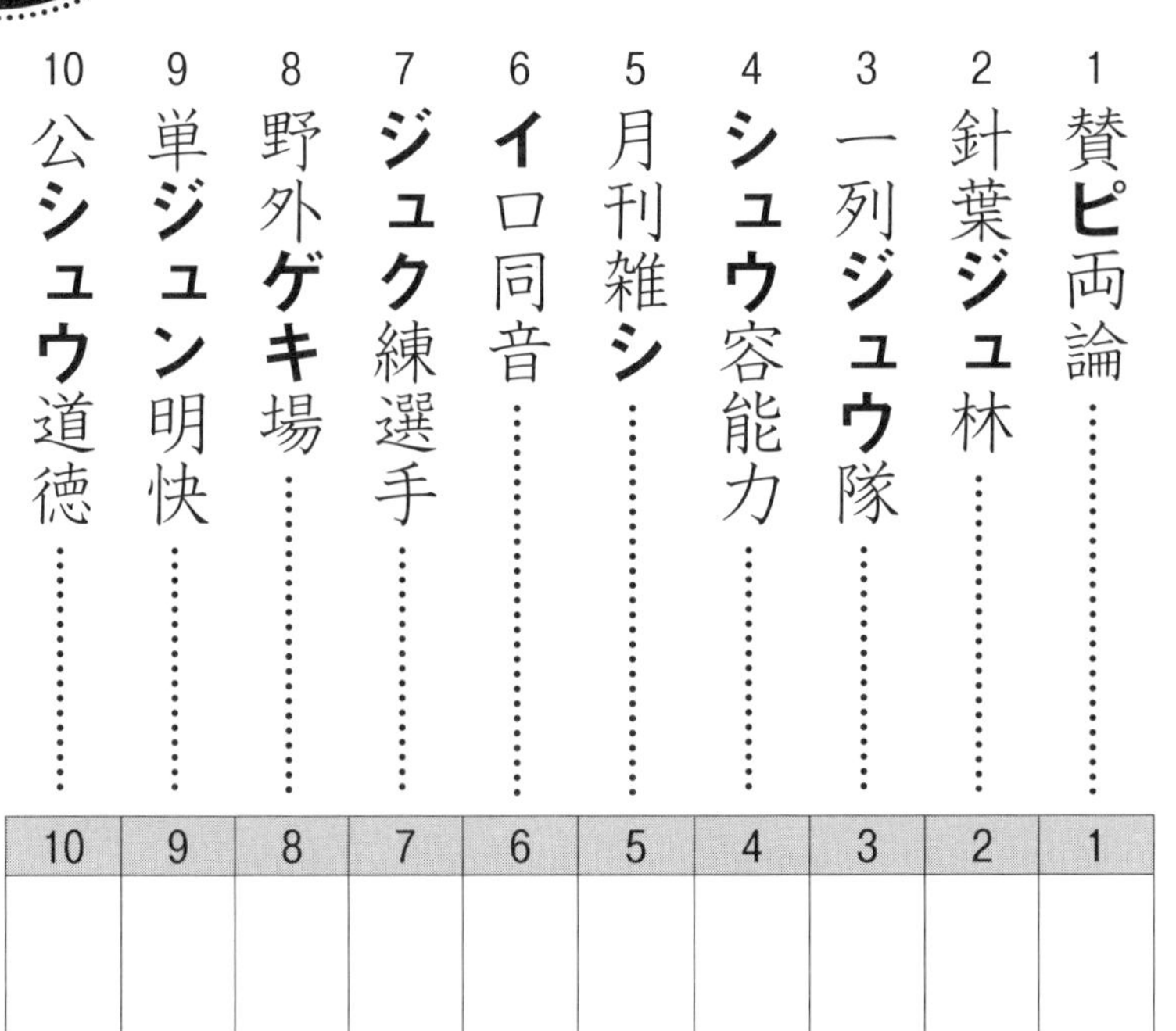

(六)

2×10 ／20

次のカタカナを漢字になおし、一字だけ書きなさい。

1 賛**ピ**両論

2 針葉**ジュ**林

3 一列**ジュウ**隊

4 **シュウ**容能力

5 月刊雑**シ**

6 **イ**口同音

7 **ジュク**練選手

8 野外**ゲキ**場

9 単**ジュン**明快

10 公**シュウ**道徳

1	2	3	4	5	6	7	8	9	10

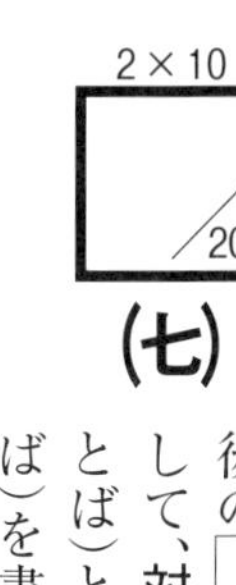

(七)

2×10 ／20

後の□の中のひらがなを漢字になおして、**対義語**（意味が反対や対(つい)になることば）と、**類義語**（意味がよくにたことば）を書きなさい。□の中のひらがなは**一度だけ**使い、**漢字一字**を書きなさい。

対義語

入室—（1）室

死亡—（2）生

子孫—（3）先

平易—（4）解

生花—（5）花

類義語

要点—（6）子

寸時—一（7）

帰国—帰（8）

力量—（9）力

主張—（10）唱

きょう　こく　こっ　そ　ぞう　たい　たん　てい　なん　のう

1	2	3	4	5	6	7	8	9	10

(八)

2×5　／10

後の□の中から漢字を選んで、次の意味にあてはまる**熟語**を作りなさい。答えは**記号**で書きなさい。

〈例〉ひつじのけのこと。（羊毛）　シ・サ

1 意味をまちがって受けとること。

2 ある人だけが持つ、ものごとを自由に行える資格。

3 ものごとが生ずるおおもと。

4 自分だけとくをするようにはかること。

5 国をおさめる、一番のもとになる決まり。

1	2	3	4	5

ア 己　イ 法　ウ 特　エ 解　オ 源　カ 誤
キ 利　ク 泉　ケ 憲　コ 権　サ 毛　シ 羊

(九)

2×10　／20

漢字を二字組み合わせた熟語では、二つの漢字の間に意味の上で、次のような関係があります。

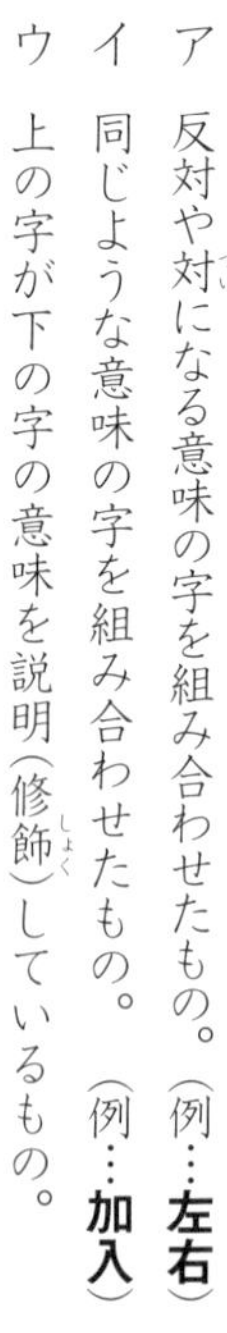

ア 反対や対になる意味の字を組み合わせたもの。（例…**左右**）

イ 同じような意味の字を組み合わせたもの。（例…**加入**）

ウ 上の字が下の字の意味を説明（修飾）しているもの。（例…**小島**）

エ 下の字から上の字へ返って読むと意味がよくわかるもの。（例…**入会**）

次の**熟語**は、右のア～エのどれにあたるか、**記号**で答えなさい。

1 保健（　）　2 破損（　）　3 胸中（　）

4 米俵（　）　5 草創（　）　6 洗車（　）

7 視力（　）　8 損得（　）　9 規則（　）

10 母乳（　）

(十)

2×10　／20

次の――線の**カタカナ**を**漢字**になおしなさい。

1 社長のお**トモ**で出張する。（　）

2 オス同士で**トモ**食いを起こした。（　）

3 **イ**酸のぶんぴつをおさえる。（　　）
4 **イ**常気象により気温が高い。（　　）
5 お山の大**ショウ**でいばっている。（　　）
6 卒業**ショウ**書を授与(よ)される。（　　）
7 自**コ**流で油絵をかく。（　　）
8 車が**コ**障してしまい途(と)方に暮れる。（　　）
9 大臣の**ケイ**護をする。（　　）
10 尊**ケイ**する恩師の家を訪ねた。（　　）

(土) 次の――線のカタカナを漢字になおしなさい。

2×20 ／40

1 **アブ**なげで見ていられない。（　　）
2 **タワラ**型のおにぎりをにぎる。（　　）
3 平安時代の**エマキモノ**を見た。（　　）
4 **ツクエ**の上はいつもきれいだ。（　　）
5 馬に**ホ**し草を食べさせる。（　　）
6 会社の**ウラ**口から外へ出る。（　　）
7 父は電力会社の**カブヌシ**だ。（　　）
8 下水管の**ス**いこみが悪い。（　　）
9 **ワス**れ物が多いと注意された。（　　）
10 **ケンチョウ**に書類を出しに行く。（　　）
11 その**ヨクジツ**から寒くなった。（　　）
12 突(とっ)然のプレゼントに**カンゲキ**する。（　　）
13 計画が**チュウ**にういてしまう。（　　）
14 一読の**カチ**のある本だ。（　　）
15 君には**ダンショク**の服が合う。（　　）
16 **ベツダン**変な様子はない。（　　）
17 友人の**チュウコク**を受ける。（　　）
18 このごろ弟の**キタク**がおそい。（　　）
19 費用は全員で**フタン**する。（　　）
20 **ハラ**の虫が治まらない（　　）

5級

第14回★テスト（60分）

◇合計点◇

200点満点の　　点

- 140点以上　合格
- 110点以上　合格まであと一歩
- 80点以上　さらに努力を
- 79点以下　受検級を考え直しましょう

1×20　／20

(一) 次の――線の漢字の読みをひらがなで書きなさい。

1 とびらが自動的に閉まった。（　）
2 物資の補給路を確保する。（　）
3 蚕はクワの葉を食べて育つ。（　）
4 テレビは電磁波を利用している。（　）
5 天皇陛下が入院された。（　）
6 悪事の片棒をかついで捕（つか）まる。（　）
7 奮起して決勝戦に勝ち進んだ。（　）
8 川に沿って遊歩道がある。（　）
9 山の中腹で引き返した。（　）
10 友人の安否が気がかりだ。（　）
11 声はするが姿が見えない。（　）
12 秘蔵の名画を見せてもらう。（　）
13 自分を批判するのも大切だ。（　）
14 これは私の作った詩だ。（　）
15 揮発油をしみぬきに使う。（　）
16 父は母より二つ若い。（　）
17 捨てねこをひろってきた。（　）
18 雑穀をニワトリの飼料にする。（　）
19 至る所から水がもれだした。（　）
20 初雪やふるさとに見ゆるかべの穴（　）

第14回

1×10　　/10

(二)

次の漢字の部首と部首名を後の□の中から選び、記号で答えなさい。

〈例〉仲〔う〕〔ク〕（部首・部首名）

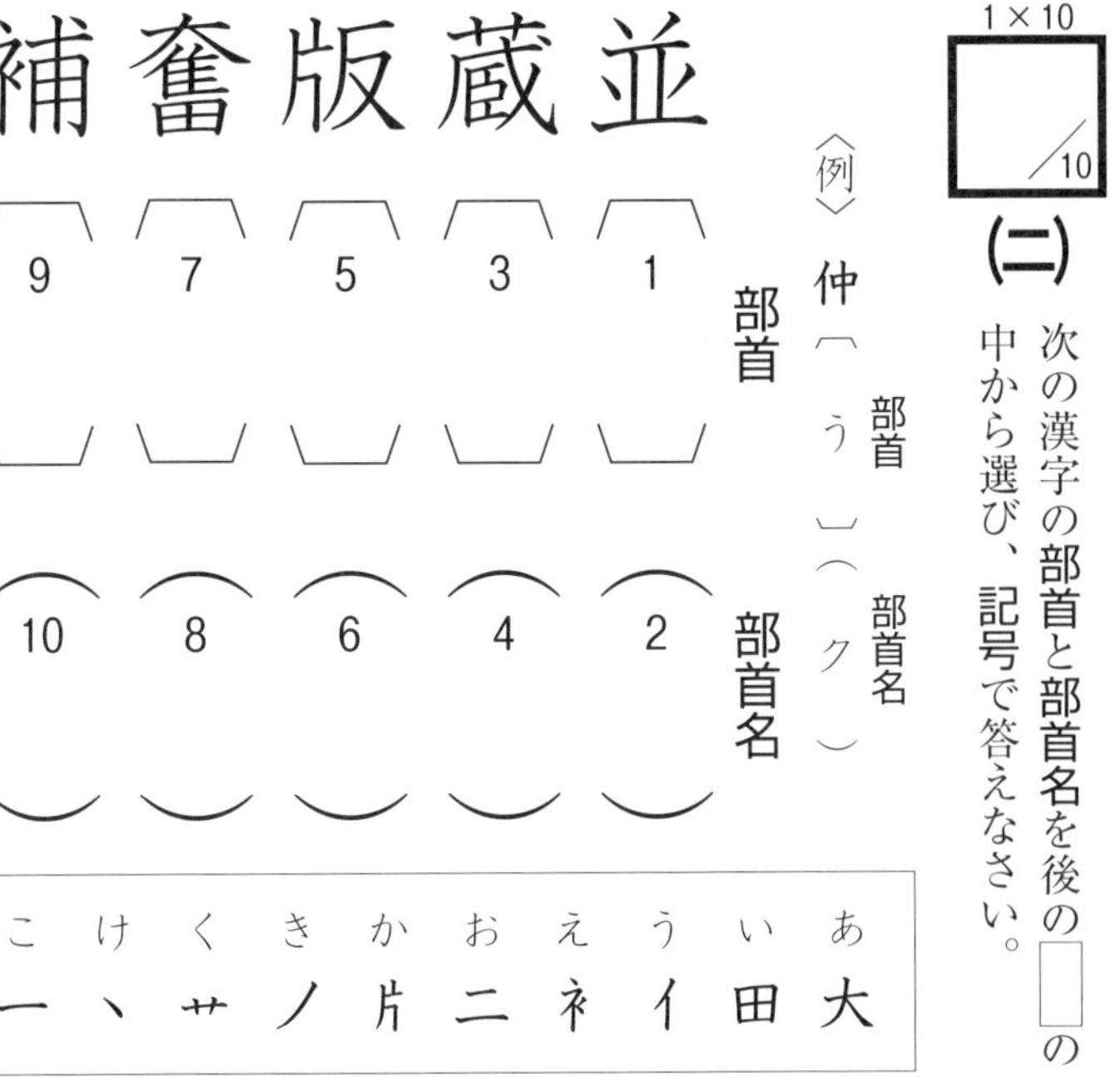

ア に　イ だい　ウ てん　エ ころもへん
オ の　カ かた　キ いち　ク にんべん
ケ かたへん　コ くさかんむり

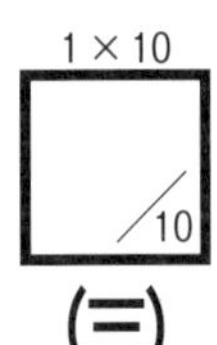

(三)

次の漢字の太い画のところは筆順の何画目か、また総画数は何画か、算用数字（1、2、3…）で答えなさい。

〈例〉王 何画目〔2〕 総画数〔4〕

10	9	8	7	6	5	4	3	2	1

2×5 /10

(四)

次の――線のカタカナの部分を漢字一字と送りがな(ひらがな)になおしなさい。

〈例〉運がヒラケル。 開ける

1 海が夕日でまっかにソマル。（　　）

2 道路に飛び出すのはアブナイ。（　　）

3 先に食事をスマス。（　　）

4 勉強が進まなくてコマル。（　　）

5 来月、遠方の友人をタズネル予定だ。（　　）

2×10 /20

(五)

漢字の読みには音と訓があります。次の熟語の読みは□の中のどの組み合わせになっていますか。ア～エの記号で答えなさい。

ア 音と音　イ 音と訓
ウ 訓と訓　エ 訓と音

1 湯茶（　　）

2 黒字（　　）

3 預金（　　）

4 虫歯（　　）

5 茶柱（　　）

6 炭火（　　）

7 男前（　　）

8 宇宙（　　）

9 名詞（　　）

10 毎朝（　　）

(六)

2×10 /20

次のカタカナを漢字になおし、一字だけ書きなさい。

1 映画ハイ優
2 ショ名運動
3 産業カク命
4 南西ショ島
5 ジョウ気機関
6 ジョ草作業
7 シン小棒大
8 カン易書留
9 責任分タン
10 中ショウ記事

1	2	3	4	5	6	7	8	9	10

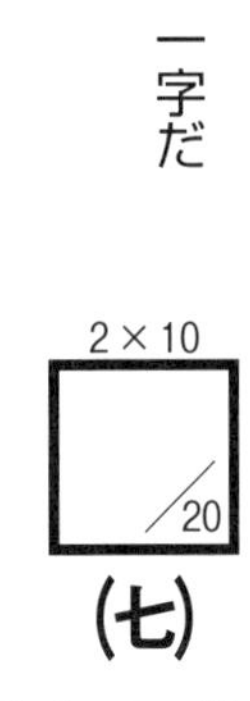

(七)

2×10 /20

後の□の中のひらがなを漢字になおして、対義語（意味が反対や対になることば）と、類義語（意味がよくにたことば）を書きなさい。□の中のひらがなは一度だけ使い、漢字一字を書きなさい。

対義語

発病―全（1）
母国―（2）国
満潮―（3）潮
人工―（4）然
原料―（5）品

類義語

努力―（6）勉
護衛―（7）備
辞任―引（8）
感動―感（9）
土台―（10）本

い　かい　かん　き　きん　けい　げき　し　せい　たい

1	2	3	4	5	6	7	8	9	10

(八)

2×5　／10

後の□の中から漢字を選んで、次の意味にあてはまる**熟語**を作りなさい。答えは**記号**で書きなさい。

〈例〉ひつじのけのこと。（羊毛）　シ｜サ

1 話し合いの場で話を進めたり、まとめたりする人。

2 戦いに負けて、相手に従うこと。

3 自分ひとりの考えで事を決めて行うこと。

4 考え方などの大事なところ。

5 重大な事態がさしせまってきて、絶望的であるようす。

1	2	3	4	5

ア子　イ降　ウ刻　エ骨　オ参　カ座
キ裁　ク深　ケ独　コ長　サ毛　シ羊

(九)

2×10　／20

漢字を二字組み合わせた熟語では、二つの漢字の間に意味の上で、次のような関係があります。

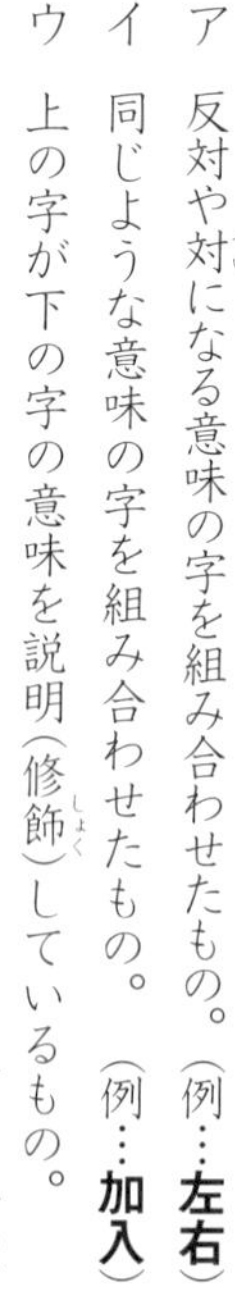
ア 反対や対になる意味の字を組み合わせたもの。（例…**左右**）
イ 同じような意味の字を組み合わせたもの。（例…**加入**）
ウ 上の字が下の字の意味を説明（修飾）しているもの。（例…**小島**）
エ 下の字から上の字へ返って読むと意味がよくわかるもの。（例…**入会**）

次の**熟語**は、右のア〜エのどれにあたるか、**記号**で答えなさい。

1 談話（　）　2 恩師（　）　3 長短（　）

4 共著（　）　5 失策（　）　6 取捨（　）

7 寒暖（　）　8 誕生（　）　9 悲劇（　）

10 着席（　）

(十)

2×10　／20

次の――線の**カタカナ**を**漢字**になおしなさい。

1 町内の**ヨ**り合いにでる。（　）

2 みんなに協力を**ヨ**びかける。（　）

第14回

3 会場には大勢の観**シュウ**が集まった。（　　）
4 地元の工場に**シュウ**職した。（　　）
5 火事の**ゲン**場に居合わせた。（　　）
6 火気**ゲン**禁の看板が立つ。（　　）
7 **ケイ**験不足から失敗してしまった。（　　）
8 我が家の家**ケイ**図を広げる。（　　）
9 **コウ**行むすこだと評判だ。（　　）
10 兄は温**コウ**な性格をしている。（　　）

2×20
/40

(十) 次の——線のカタカナを漢字になおしなさい。

1 ことばの**ゴヨウ**に気をつける。（　　）
2 **シタ**は味を感じる機能をもつ。（　　）
3 カエデの**コウヨウ**が美しい。（　　）
4 **ネダン**の張る本を買った。（　　）
5 **アナ**のあくほど見つめる。（　　）
6 老人を**ウヤマ**い大切にする。（　　）
7 **スジ**の通った話をする。（　　）
8 姉が大学の近くで新居を**サガ**す。（　　）
9 パーティーが**モ**り上がる。（　　）
10 会長は**トモ**をつれて出かけた。（　　）
11 **ギュウニュウ**を温めて飲む。（　　）
12 **カイナン**救助に功績があった。（　　）
13 紅茶に**サトウ**を入れる。（　　）
14 映画で**アクトウ**を演じる。（　　）
15 できるかどうか**ケントウ**する。（　　）
16 町の**ハッテン**が続いている。（　　）
17 体の節々の**イタ**みに耐(た)える。（　　）
18 的を**イ**た発言をする。（　　）
19 人気が**ゼッチョウ**に達する。（　　）
20 かべに耳あり、**ショウジ**に目あり（　　）

5級

第15回★テスト（60分）

◇合計点◇

200点満点の（　　　）点

- 140点以上　合格
- 110点以上　合格まであと一歩
- 80点以上　さらに努力を
- 79点以下　受検級を考え直しましょう

1×20　／20

(一) 次の――線の漢字の読みをひらがなで書きなさい。

1 ホテルに荷物を預けて観光へ行く。（　　）
2 大使館で亡命者を保護する。（　　）
3 パソコンを重宝している。（　　）
4 並のすしを三人前注文した。（　　）
5 実験で得られた数値をグラフで表す。（　　）
6 駅のベンチに忘れ物をした。（　　）
7 天幕を張ってキャンプをする。（　　）
8 放課後友だちの家を訪ねる。（　　）
9 コスモスが密生している。（　　）
10 危ない場所には立ち入らない。（　　）
11 弟は卵を使った料理が好物だ。（　　）
12 皿が二枚足りない。（　　）
13 不器用に縦結びをした。（　　）
14 郵便局に切手を買いに行く。（　　）
15 兄の指示に従って答える。（　　）
16 同盟国が集まって会議する。（　　）
17 全員がカメラに収まった。（　　）
18 空模様があやしくなる。（　　）
19 早晩知れわたることだろう。（　　）
20 夕つばめ我にはあすのあてはなき（　　）

第15回

(二)

1×10　／10

次の漢字の部首と部首名を後の□の中から選び、記号で答えなさい。

〈例〉仲〔う〕〔ク〕（部首・部首名）

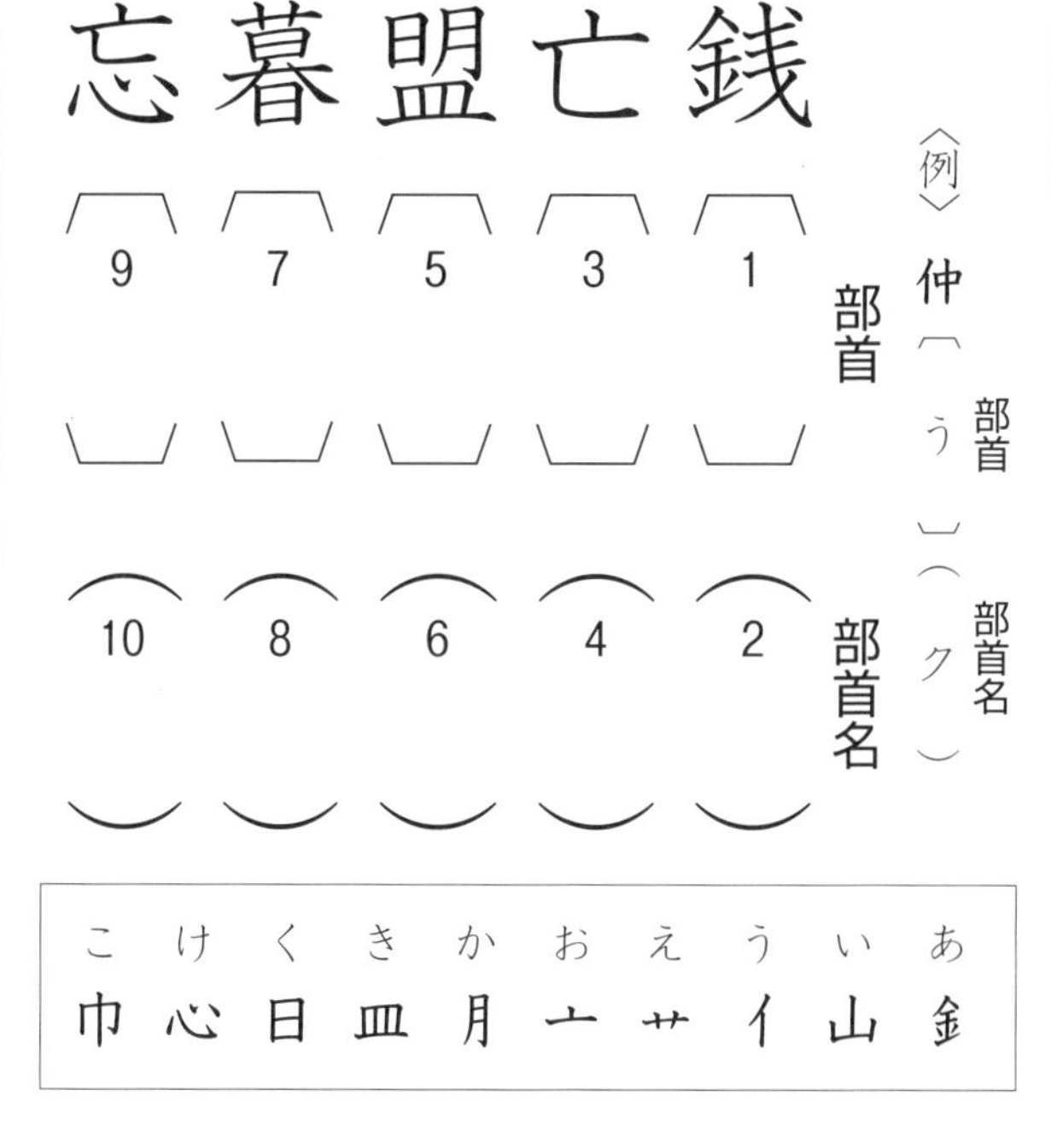

銭　亡　盟　暮　忘

	部首	部首名
銭	1〔　〕	2（　）
亡	3〔　〕	4（　）
盟	5〔　〕	6（　）
暮	7〔　〕	8（　）
忘	9〔　〕	10（　）

あ 金　い 山　う 亻　え 艹　お 亠　か 月　き 皿　く 日　け 心　こ 巾

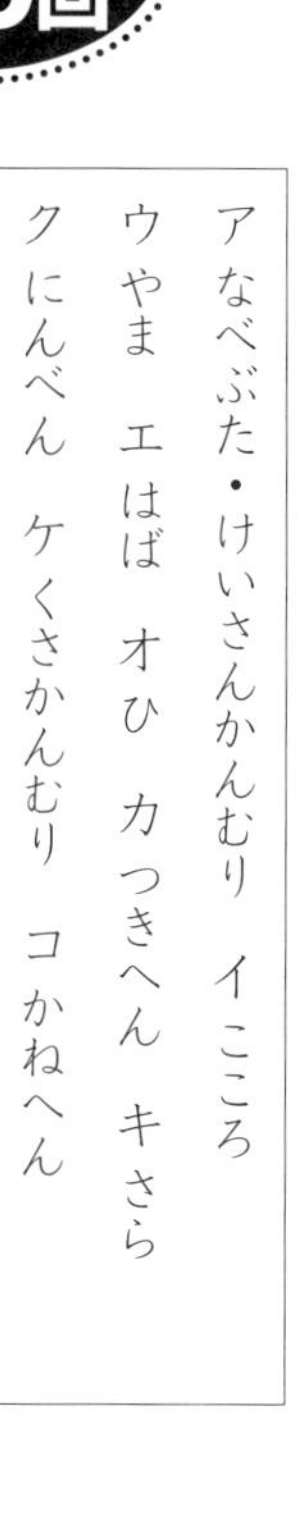

ア なべぶた・けいさんかんむり　イ こころ　ウ やま　エ はば　オ ひ　カ つきへん　キ さら　ク にんべん　ケ くさかんむり　コ かねへん

(三)

1×10　／10

次の漢字の太い画のところは筆順の何画目か、また総画数は何画か、算用数字（1、2、3…）で答えなさい。

〈例〉王　何画目（2）　総画数〔4〕

退　蔵　存　創　装

	何画目	総画数
退	1（　）	2〔　〕
蔵	3（　）	4〔　〕
存	5（　）	6〔　〕
創	7（　）	8〔　〕
装	9（　）	10〔　〕

10	9	8	7	6	5	4	3	2	1

2×5 /10

(四)

次の——線のカタカナの部分を漢字一字と送りがな（ひらがな）になおしなさい。

〈例〉 運がヒラケル。 開ける

1 身を清め神仏をウヤマウ。（　　）

2 入場者の列がミダレル。（　　）

3 考え方がオサナイといわれる。（　　）

4 鏡もちを床（とこ）の間にソナエル。（　　）

5 父は長年建設会社にツトメル。（　　）

2×10 /20

(五)

漢字の読みには音と訓があります。次の熟語の読みは□の中のどの組み合わせになっていますか。ア～エの記号で答えなさい。

ア 音と音　イ 音と訓
ウ 訓と訓　エ 訓と音

1 定宿（　　）

2 湯気（　　）

3 異動（　　）

4 遺伝（　　）

5 真打（　　）

6 乳児（　　）

7 家路（　　）

8 道草（　　）

9 巻物（　　）

10 弟分（　　）

(六)

2×10　／20

次のカタカナを漢字になおし、一字だけ書きなさい。

1 **ザ**席指定
2 **スイ**理小説
3 内**カク**改造
4 道路**スン**断
5 親**ゼン**大使
6 新約**セイ**書
7 空前**ゼツ**後
8 自**コ**暗示
9 **ショ**女航海
10 **セン**門科目

1	2	3	4	5	6	7	8	9	10

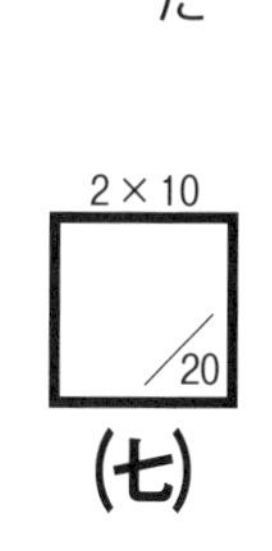

(七)

2×10　／20

後の□の中のひらがなを漢字になおして、**対義語**（意味が反対や対になることば）と、**類義語**（意味がよくにたことば）を書きなさい。□の中のひらがなは**一度だけ**使い、**漢字一字**を書きなさい。

対義語

読者—（1）者
外出—帰（2）
用心—油（3）
自分—（4）手
実習—（5）義

類義語

容易—（6）易
区分—分（7）
質問—質（8）
大切—（9）重
異議—異（10）

あい　かつ　かん　き　ぎ　こう　たく　だん　ちょ　ろん

1	2	3	4	5	6	7	8	9	10

2×5　/10

(八)

後の□の中から漢字を選んで、次の意味にあてはまる**熟語**を作りなさい。答えは**記号**で書きなさい。

〈例〉ひつじのけのこと。（羊毛）［シ｜サ］

1 目で見ることのできるはんい。

2 この上もなくすぐれていること。

3 個人に関係のあるようす。

4 毎日の事がらをしるしたもの。

5 体の格好。心の持ち方。

1	2	3	4	5

ア界　イ高　ウ的　エ至　オ姿　カ日
キ私　ク誌　ケ視　コ勢　サ毛　シ羊

2×10　/20

(九)

漢字を二字組み合わせた熟語では、二つの漢字の間に意味の上で、次のような関係があります。

ア 反対や対になる意味の字を組み合わせたもの。（例…**左右**）

イ 同じような意味の字を組み合わせたもの。（例…**加入**）

ウ 上の字が下の字の意味を説明（修飾）しているもの。（例…**小島**）

エ 下の字から上の字へ返って読むと意味がよくわかるもの。（例…**入会**）

次の**熟語**は、右のア〜エのどれにあたるか、**記号**で答えなさい。

1 燃料（　）　2 展開（　）　3 公私（　）
4 表現（　）　5 問答（　）　6 納税（　）
7 延期（　）　8 牛乳（　）　9 均等（　）
10 得失（　）

2×10　/20

(十)

次の――線の**カタカナ**を**漢字**になおしなさい。

1 大規模な**コウ**山で働く。（　）
2 ほおを**コウ**潮させる。（　）

3 勇気を**フル**って行動する。（　　）

4 **フル**い屋敷(しき)の中をそうじする。（　　）

5 キリスト教に改**シュウ**する。（　　）

6 自転車を**シュウ**理してもらう。（　　）

7 みんなで楽**キ**を演奏する。（　　）

8 **キ**険な場所には近づかない。（　　）

9 お正月はどこも**コン**雑している。（　　）

10 一丸となって**コン**難に立ち向かう。（　　）

(十)

2×20　／40

次の——線の**カタカナ**を漢字になおしなさい。

1 大根を千六本に**キザ**む。（　　）

2 **キビ**しい練習にたえた。（　　）

3 漢字の**アヤマ**りを正す。（　　）

4 **オンシ**の誕生日に果物を贈(おく)った。（　　）

5 こんなことぐらい**ワケ**は無い。（　　）

6 親のありがたさを**ツウカン**する。（　　）

7 警官に**ヨ**び止められた。（　　）

8 手入れのゆき**トド**いた庭だ。（　　）

9 **ハイザラ**をかたづける。（　　）

10 富士川の**ゲンリュウ**を探る。（　　）

11 **キヌ**さやをいためて食べる。（　　）

12 **ツクエ**に向かって書きものをする。（　　）

13 修学旅行で**ハンベツ**に行動する。（　　）

14 **ハイク**は五・七・五の定型詩だ。（　　）

15 国語の教科書を**ボウヨ**みする。（　　）

16 事件の**ハイケイ**は複雑だ。（　　）

17 バスの**ウンチン**を精算する。（　　）

18 **トクハイン**として米国に行く。（　　）

19 休日の**カンチョウ**街は静かだ。（　　）

20 同じ**アナ**のむじな（　　）

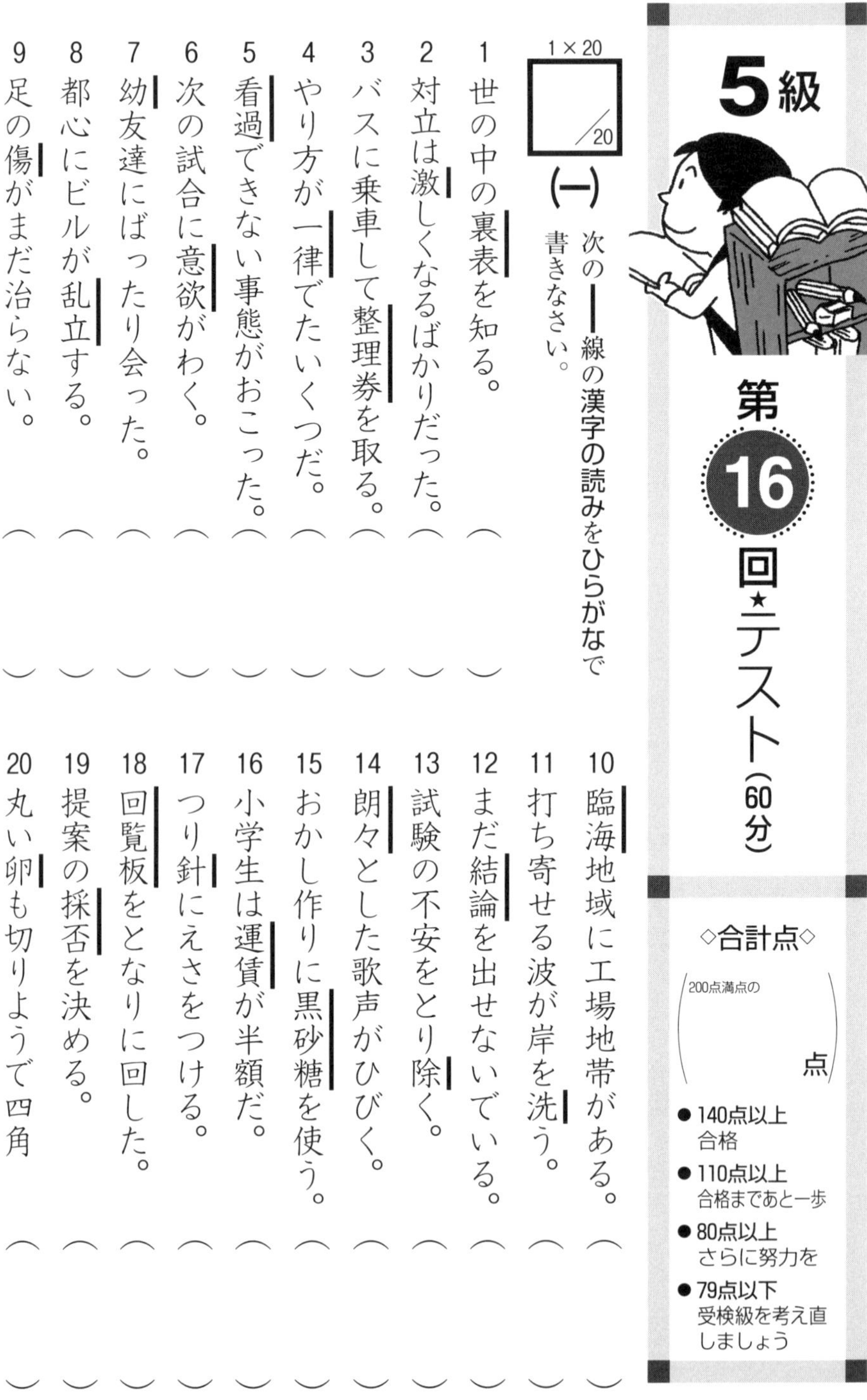

5級 第16回 テスト（60分）

◇合計点◇

200点満点の　　点

- 140点以上　合格
- 110点以上　合格まであと一歩
- 80点以上　さらに努力を
- 79点以下　受検級を考え直しましょう

(一) 次の――線の漢字の読みをひらがなで書きなさい。

1×20　　/20

1 世の中の裏表を知る。（　　）
2 対立は激しくなるばかりだった。（　　）
3 バスに乗車して整理券を取る。（　　）
4 やり方が一律でたいくつだ。（　　）
5 看過できない事態がおこった。（　　）
6 次の試合に意欲がわく。（　　）
7 幼友達にばったり会った。（　　）
8 都心にビルが乱立する。（　　）
9 足の傷がまだ治らない。（　　）
10 臨海地域に工場地帯がある。（　　）
11 打ち寄せる波が岸を洗う。（　　）
12 まだ結論を出せないでいる。（　　）
13 試験の不安をとり除く。（　　）
14 朗々とした歌声がひびく。（　　）
15 おかし作りに黒砂糖を使う。（　　）
16 小学生は運賃が半額だ。（　　）
17 つり針にえさをつける。（　　）
18 回覧板をとなりに回した。（　　）
19 提案の採否を決める。（　　）
20 丸い卵も切りようで四角（　　）

1×10 /10

(二)

次の漢字の部首と部首名を後の□の中から選び、記号で答えなさい。

〈例〉仲〔う〕〔ク〕（部首・部首名）

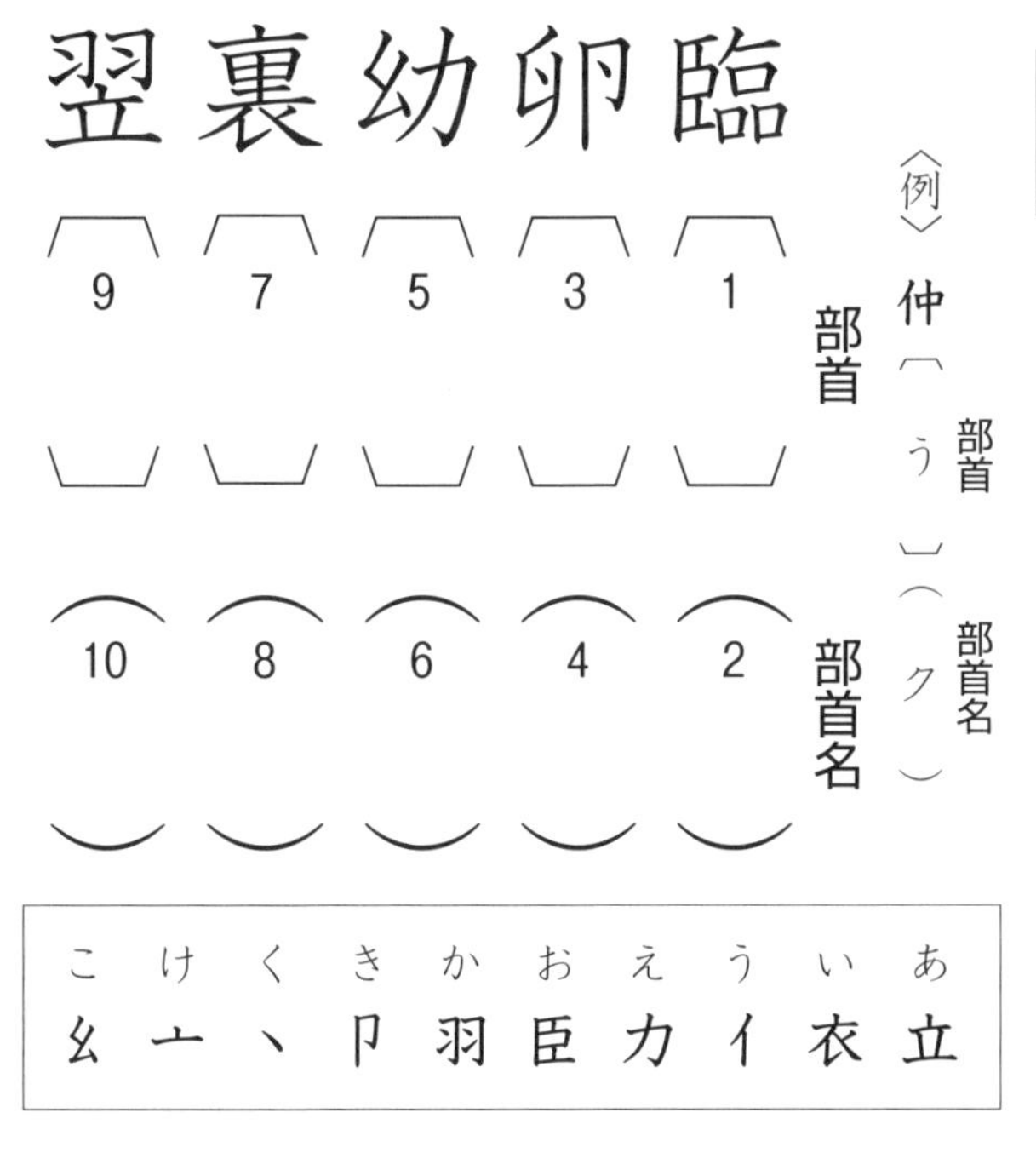

臨　卵　幼　裏　翌

	部首	部首名
臨	1	2
卵	3	4
幼	5	6
裏	7	8
翌	9	10

あ 立　い 衣　う イ　え 力　お 臣　か 羽　き 卩　く 丶　け 亠　こ 幺

ア なべぶた　イ わりふ・ふしづくり　ウ たつ　エ いとがしら・よう　オ ちから　カ ころも　キ てん　ク にんべん　ケ はね　コ しん

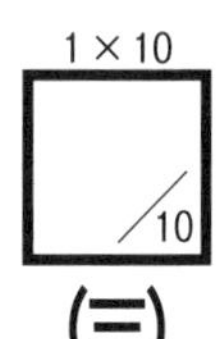

1×10 /10

(三)

次の漢字の太い画のところは筆順の何画目か、また総画数は何画か、算用数字（1、2、3…）で答えなさい。

〈例〉王〔2〕〔4〕（何画目・総画数）

棒　訳　幕　宝　訪

	何画目	総画数
棒	1	2
訳	3	4
幕	5	6
宝	7	8
訪	9	10

10	9	8	7	6	5	4	3	2	1

2×5 /10

(四)

次の━━線のカタカナの部分を漢字一字と送りがな（ひらがな）になおしなさい。

〈例〉運が**ヒラケル**。 開ける

1 さいふを拾って交番に**トドケル**。（　）

2 朝食をおにぎり一個で**スマス**。（　）

3 感動を胸に深く**キザム**。（　）

4 法に基（もと）づいて犯罪者を**サバク**。（　）

5 逆転するのは**ムズカシイ**。（　）

2×10 /20

(五)

漢字の読みには**音**と**訓**があります。次の**熟語の読み**は□の中のどの組み合わせになっていますか。ア〜エの**記号**で答えなさい。

ア 音と音　イ 音と訓
ウ 訓と訓　エ 訓と音

1 派手（　）

2 雨具（　）

3 本箱（　）

4 梅酒（　）

5 米俵（　）

6 郷土（　）

7 背中（　）

8 脳天（　）

9 波風（　）

10 五枚（　）

2×10 /20

(六) 次のカタカナを漢字になおし、一字だけ書きなさい。

1 器械体**ソウ**
2 **タク**地造成
3 半信半**ギ**
4 **セン**伝効果
5 平和**ケン**法
6 雨天順**エン**
7 **ソン**在価値
8 安全**ソウ**置
9 **ジョウ**気機関
10 **トウ**首会談

1	2	3	4	5	6	7	8	9	10

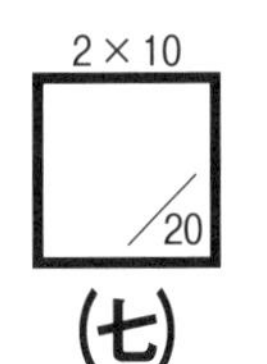

(七) 後の□の中のひらがなを漢字になおして、**対義語**(意味が反対や対(つい)になることば)と、**類義語**(意味がよくにたことば)を書きなさい。□の中のひらがなは**一度だけ**使い、**漢字一字**を書きなさい。

対義語

寒冷―温(1)
本物―(2)造
快楽―苦(3)
中止―続(4)
団体―(5)人

類義語

預金―(6)金
歴史―(7)革
革新―(8)革
外国―(9)国
利害―(10)得

い　えん　かい　こ　こう　そん　だん　ちょ　つう　も

1	2	3	4	5	6	7	8	9	10

(八)

2×5　／10

後の□の中から漢字を選んで、次の意味にあてはまる**熟語**を作りなさい。答えは**記号**で書きなさい。

〈例〉ひつじのけのこと。（羊毛）　シ　サ

1 よくなれて上手になること。

2 入るお金と出ていくお金。

3 すなおで、けがれのないきれいな心。

4 いらなくなった物などを始末すること。

5 多くの人が集まって意見を言い合うこと。

1	2	3	4	5

ア 議　イ 分　ウ 支　エ 衆　オ 熟　カ 収
キ 純　ク 練　ケ 情　コ 処　サ 毛　シ 羊

(九)

2×10　／20

漢字を二字組み合わせた熟語では、二つの漢字の間に意味の上で、次のような関係があります。

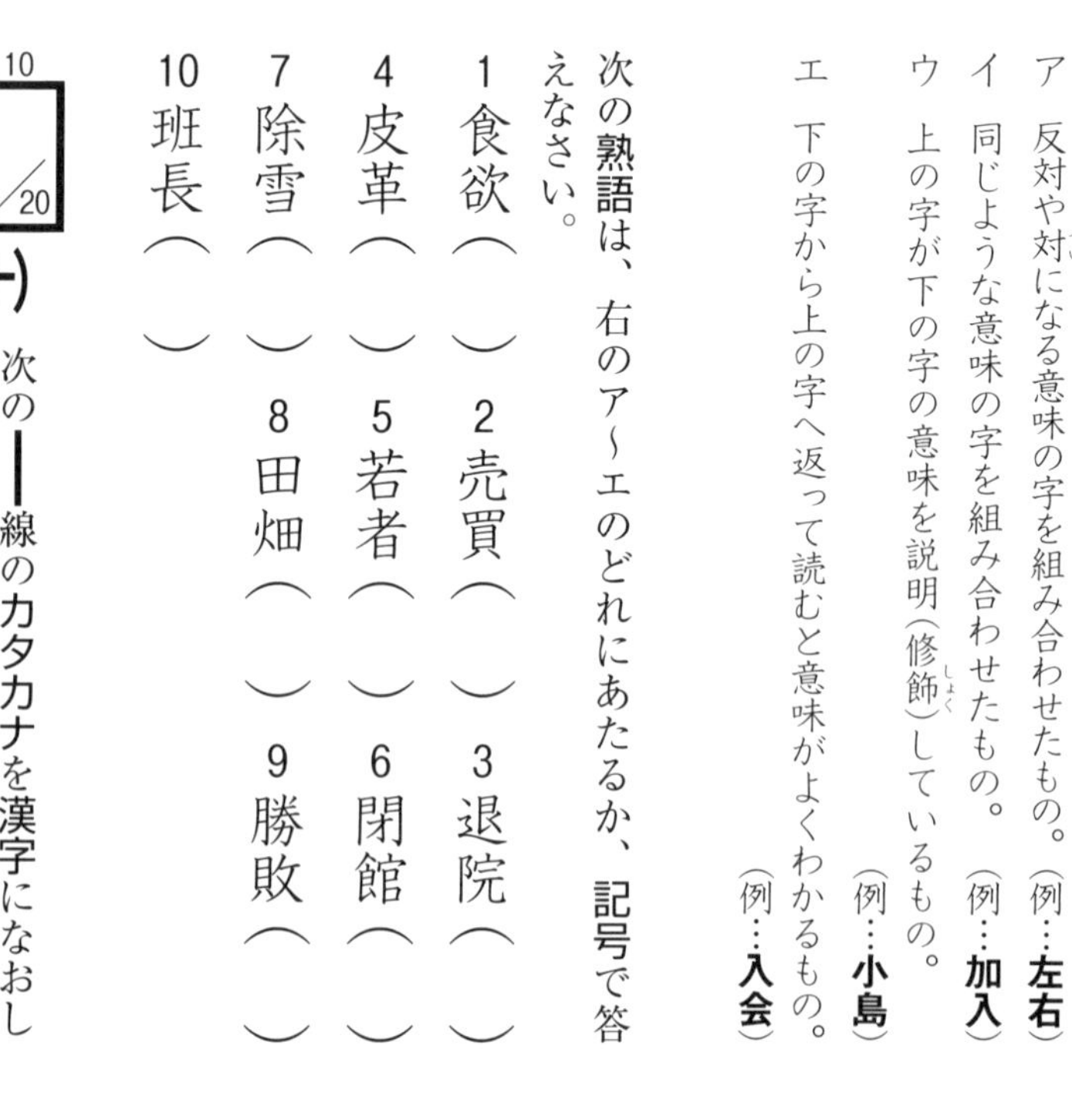

ア 反対や対になる意味の字を組み合わせたもの。（例…**左右**）

イ 同じような意味の字を組み合わせたもの。（例…**加入**）

ウ 上の字が下の字の意味を説明（修飾）しているもの。（例…**小島**）

エ 下の字から上の字へ返って読むと意味がよくわかるもの。（例…**入会**）

次の**熟語**は、右のア～エのどれにあたるか、**記号**で答えなさい。

1 食欲（　）　2 売買（　）　3 退院（　）

4 皮革（　）　5 若者（　）　6 閉館（　）

7 除雪（　）　8 田畑（　）　9 勝敗（　）

10 班長（　）

(十)

2×10　／20

次の――線の**カタカナ**を**漢字**になおしなさい。

1 先生の指**ジ**を聞いてから行動する。（　）

2 金属が**ジ**気を帯びる。（　）

3 取引で高い**ネ**が付く。（　　）

4 虫の**ネ**が聞こえる。（　　）

5 地方にある**シ**社に出向く。（　　）

6 **シ**点を変えて考えてみる。（　　）

7 **キョウ**土に関する資料を集める。（　　）

8 水田に水を**キョウ**給する。（　　）

9 学級会での提案に**イ**議を唱えた。（　　）

10 目的地までバスで**イ**動する。（　　）

2×20 ／40

(十) 次の――線のカタカナを漢字になおしなさい。

1 **ウチュウ**飛行士になるのが夢だ。（　　）

2 切り**カブ**で年輪を観察する。（　　）

3 今日が今年の仕事**オサ**めだ。（　　）

4 主君に**チュウセイ**をちかう。（　　）

5 **スナ**時計を作ってみた。（　　）

6 **セ**に金文字が入った本を買う。（　　）

7 ほとほと**コマ**り果てる。（　　）

8 神前で手を合わせて**オガ**んだ。（　　）

9 **ホネミ**をおしまず働く。（　　）

10 がんとして非を**ミト**めない。（　　）

11 弱い立場の者の**ケンリ**を守る。（　　）

12 兄は**シタ**が肥えている。（　　）

13 放課後、**ホシュウ**授業に出席した。（　　）

14 図書館で「**ヒミツ**の花園（はなぞの）」を読んだ。（　　）

15 両**ヘイカ**が園遊会をもよおされた。（　　）

16 今夜は**フンパツ**してすしにしよう。（　　）

17 山の**チュウフク**に小さな池がある。（　　）

18 地図の**カクダイ**コピーをとった。（　　）

19 世界新記録を**ジュリツ**した。（　　）

20 **アブ**ない橋も一度はわたれ（　　）

(一) 読み (1×20)

10	9	8	7	6	5	4	3	2	1
20	19	18	17	16	15	14	13	12	11

(二) 部首と部首名 (1×10)

10	9	8	7	6	5	4	3	2	1

(三) 画数 (1×10)

10	9	8	7	6	5	4	3	2	1

(四) 漢字と送りがな (2×5)

5	4	3	2	1

(五) 音と訓 (2×10)

10	9	8	7	6	5	4	3	2	1

コピーして使える答案用紙

第（　）回テスト答案用紙

10	9	8	7	6	5	4	3	2	1	(六) 四字の熟語 (2×10)

10	9	8	7	6	5	4	3	2	1	(七) 対義語 類義語 (2×10)

5	4	3	2	1	(八) 熟語作り (2×5)

10	9	8	7	6	5	4	3	2	1	(九) 熟語の構成 (2×10)

10	9	8	7	6	5	4	3	2	1	(十) 同じ読みの漢字 (2×10)

10	9	8	7	6	5	4	3	2	1	(土) 漢字 (2×20)
20	19	18	17	16	15	14	13	12	11	

　※ コピーしてお使いください。

5級配当漢字表

5級の漢字検定では、この一九一字の「5級配当漢字」が非常に重要です。漢字のはね、とめ、点のあるなし、筆順などをおぼえましょう。

◀漢字の読みのカタカナは音読み、ひらがなは訓読みで、赤色の字は送りがなです。（ ）の中の読みは4級以上の検定に出る読みで5級には出題されません。（ ）の中にある用例は特別な読みです。

胃（9画）
イ

部首 肉（にく）

胃腸(いちょう)・胃弱(いじゃく)・胃(い)がん・胃(い)カメラ

異（11画）
イ
こと

部首 田（た）

異性(いせい)・異質(いしつ)・異国(いこく)・異(こと)なる

遺（15画）
イ
（ユイ）

部首 辶（しんにょう・しんにゅう）

遺族(いぞく)・遺産(いさん)・遺伝(いでん)

域（11画）
イキ

部首 土（つちへん）

地域(ちいき)・区域(くいき)・音域(おんいき)

宇（6画）
ウ

部首 宀（うかんむり）

宇宙(うちゅう)・気宇(きう)

映（9画）
エイ
うつす
うつる
（はえる）

部首 日（ひへん）

映画(えいが)・反映(はんえい)・鏡(かがみ)に映(うつ)る

延（8画）
エン
のびる
のべる
のばす

部首 廴（えんにょう）

延期(えんき)・延長(えんちょう)・生(い)き延(の)びる

沿（8画）
エン
そう

部首 氵（さんずい）

沿道(えんどう)・沿海(えんかい)・川(かわ)に沿(そ)う

恩（10画）
オン

部首 心（こころ）

恩師(おんし)・恩人(おんじん)・恩返(おんがえ)し

我（7画）
（ガ）われ（わ）
部首 戈（ほこづくり・ほこがまえ）
我我我我我我我
我々（われわれ）・我知（われし）らず

灰（6画）
（カイ）はい
部首 火（ひ）
灰灰灰灰灰灰
灰色（はいいろ）・灰皿（はいざら）・火山灰（かざんばい）

拡（8画）
カク
部首 扌（てへん）
拡拡拡拡拡拡拡拡
拡大（かくだい）・拡散（かくさん）・拡声器（かくせいき）

革（9画）
カク（かわ）
部首 革（かくのかわ・つくりがわ）
革革革革革革革
革命（かくめい）・改革（かいかく）・変革（へんかく）

閣（14画）
カク
部首 門（もんがまえ）
閣閣閣閣閣閣閣
閣議（かくぎ）・内閣（ないかく）・組閣（そかく）

割（12画）
（カツ）わる わり われる（さく）
部首 刂（りっとう）
割割割割割割割
割高（わりだか）・割合（わりあい）・役割（やくわり）・割（わ）れる

株（10画）
かぶ
部首 木（きへん）
株株株株株株株
株価（かぶか）・株式（かぶしき）・古株（ふるかぶ）

干（3画）
カン ほす（ひる）
部首 干（かん・いちじゅう）
干干干
干天（かんてん）・干害（かんがい）・物干（ものほ）し

巻（9画）
カン まく まき
部首 㔾（わりふ・ふしづくり）
巻巻巻巻巻巻巻
巻頭（かんとう）・全巻（ぜんかん）・巻物（まきもの）・巻（ま）く

看（9画）
カン
部首 目（め）
看看看看看看看
看病（かんびょう）・看板（かんばん）・看護（かんご）

簡（18画）
カン
部首 ⺮（たけかんむり）
簡簡簡簡簡簡簡
簡単（かんたん）・簡便（かんべん）・書簡（しょかん）

危（6画）
キ あぶない（あやうい）（あやぶむ）
部首 㔾（わりふ・ふしづくり）
危危危危危危
危険（きけん）・危害（きがい）・危（あぶ）ない道（みち）

机（6画）

（キ）
つくえ

部首　木（きへん）

机机机机机机

机（つくえ）の上（うえ）・勉強机（べんきょうづくえ）

揮（12画）

キ

部首　扌（てへん）

揮揮揮揮揮揮

揮発（きはつ）・発揮（はっき）・指揮（しき）

貴（12画）

キ
（たっとい）
（たっとぶ）
（とうとい）
（とうとぶ）

部首　貝（かい・こがい）

貴貴貴貴貴貴

貴社（きしゃ）・貴重（きちょう）・兄貴（あにき）

疑（14画）

ギ
うたがう

部首　疋（ひき）

疑疑疑疑疑疑

疑問（ぎもん）・容疑（ようぎ）・疑（うたが）いの目（め）

吸（6画）

キュウ
すう

部首　口（くちへん）

吸吸吸吸吸吸

吸引（きゅういん）・吸収（きゅうしゅう）・吸（す）い物（もの）

供（8画）

キョウ
（ク）
そなえる
とも

部首　亻（にんべん）

供供供供供供

供給（きょうきゅう）・供（そな）え物（もの）・子供（こども）

胸（10画）

キョウ
むね
（むな）

部首　月（にくづき）

胸胸胸胸胸胸

胸囲（きょうい）・度胸（どきょう）・胸焼（むねや）け

郷（11画）

キョウ
（ゴウ）

部首　阝（おおざと）

郷郷郷郷郷郷

郷土（きょうど）・郷里（きょうり）・故郷（こきょう）

勤（12画）

キン
（ゴン）
つとめる
つとまる

部首　力（ちから）

勤勤勤勤勤勤

勤務（きんむ）・出勤（しゅっきん）・勤（つと）め先（さき）

筋（12画）

キン
すじ

部首　⺮（たけかんむり）

筋筋筋筋筋筋

筋肉（きんにく）・筋骨（きんこつ）・筋道（すじみち）

系（7画）

ケイ

部首　糸（いと）

系系系系系系

系統（けいとう）・系列（けいれつ）・家系（かけい）

敬（12画）

ケイ
うやまう

部首　攵（のぶん・ぼくづくり）

敬敬敬敬敬敬

敬意（けいい）・尊敬（そんけい）・神（かみ）を敬（うやま）う

警（19画）

ケイ

部首 言（げん）

警警警警警警警

警官（けいかん）・警告（けいこく）・警報（けいほう）

劇（15画）

ゲキ

部首 刂（りっとう）

劇劇劇劇劇劇劇

劇作（げきさく）・劇場（げきじょう）・喜劇（きげき）

激（16画）

ゲキ
はげしい

部首 氵（さんずい）

激激激激激激激

激動（げきどう）・感激（かんげき）・激（はげ）しい雨（あめ）

穴（5画）

（ケツ）
あな

部首 穴（あな）

穴穴穴穴穴

穴場（あなば）・大穴（おおあな）・節穴（ふしあな）

券（8画）

ケン

部首 刀（かたな）

券券券券券券券

旅券（りょけん）・定期券（ていきけん）・食券（しょっけん）・招待券（しょうたいけん）

絹（13画）

（ケン）
きぬ

部首 糹（いとへん）

絹絹絹絹絹絹絹

絹糸（きぬいと）・絹針（きぬばり）・絹織物（きぬおりもの）

権（15画）

ケン
（ゴン）

部首 木（きへん）

権権権権権権権

権力（けんりょく）・権利（けんり）・実権（じっけん）

憲（16画）

ケン

部首 心（こころ）

憲憲憲憲憲憲憲

憲法（けんぽう）・立憲（りっけん）・護憲（ごけん）

源（13画）

ゲン
みなもと

部首 氵（さんずい）

源源源源源源源

源泉（げんせん）・資源（しげん）・川（かわ）の源（みなもと）

厳（17画）

ゲン
（ゴン）
きびしい
（おごそか）

部首 ⺍（つかんむり）

厳厳厳厳厳厳厳

厳重（げんじゅう）・厳格（げんかく）・厳（きび）しい目（め）

己（3画）

コ
（キ）
（おのれ）

部首 己（おのれ）

己己己

自己（じこ）・利己（りこ）

呼（8画）

コ
よぶ

部首 口（くちへん）

呼呼呼呼呼呼呼

呼吸（こきゅう）・点呼（てんこ）・呼（よ）び声（ごえ）

誤（14画）	后（6画）	孝（7画）	皇（9画）	紅（9画）	降（10画）
ゴ あやまる	コウ	コウ	コウ オウ	コウ （ク） べに （くれない）	コウ おりる おろす ふる
部首 言（ごんべん）	部首 口（くち）	部首 子（こ）	部首 白（しろ）	部首 糸（いとへん）	部首 阝（こざとへん）
誤誤誤誤誤誤	后后后后后后	孝孝孝孝孝孝	皇皇皇皇皇皇	紅紅紅紅紅紅	降降降降降降
誤解（ごかい）・誤報（ごほう）・見誤（みあやま）る	皇后（こうごう）・皇太后（こうたいごう）	孝行（こうこう）・不孝（ふこう）・忠孝（ちゅうこう）	皇族（こうぞく）・法皇（ほうおう）・（天皇陛下（てんのうへいか））	紅白（こうはく）・紅茶（こうちゃ）・口紅（くちべに）	降参（こうさん）・降（お）り口（ぐち）・雨降（あめふ）り

鋼（16画）	刻（8画）	穀（14画）	骨（10画）	困（7画）	砂（9画）
コウ （はがね）	コク きざむ	コク	コツ ほね	コン こまる	サ （シャ） すな
部首 金（かねへん）	部首 刂（りっとう）	部首 禾（のぎへん）	部首 骨（ほね）	部首 囗（くにがまえ）	部首 石（いしへん）
鋼鋼鋼鋼鋼鋼	刻刻刻刻刻刻	穀穀穀穀穀穀	骨骨骨骨骨骨	困困困困困困	砂砂砂砂砂砂
鋼鉄（こうてつ）・鉄鋼（てっこう）・鋼板（こうはん）	定刻（ていこく）・時刻（じこく）・大根（だいこん）を刻（きざ）む	穀類（こくるい）・穀物（こくもつ）・米穀（べいこく）	骨折（こっせつ）・鉄骨（てっこつ）・骨身（ほねみ）	困難（こんなん）・貧困（ひんこん）・困（こま）り切（き）る	砂防（さぼう）・砂糖（さとう）・砂場（すなば）

チカラをつけよう

座（10画）
ザ
（すわる）
部首 广（まだれ）
座高（ざこう）・座席（ざせき）・星座（せいざ）

済（11画）
サイ
すむ
すます
部首 氵（さんずい）
返済（へんさい）・救済（きゅうさい）・食事（しょくじ）が済（す）む

裁（12画）
サイ
さばく
（たつ）
部首 衣（ころも）
裁判（さいばん）・決裁（けっさい）・罪（つみ）を裁（さば）く

策（12画）
サク
部首 ⺮（たけかんむり）
策動（さくどう）・策略（さくりゃく）・対策（たいさく）

冊（5画）
サツ
（サク）
部首 冂（どうがまえ・けいがまえ・まきがまえ）
冊子（さっし）・一冊（いっさつ）・別冊（べっさつ）

蚕（10画）
サン
かいこ
部首 虫（むし）
蚕業（さんぎょう）・養蚕（ようさん）・蚕（かいこ）を飼（か）う

至（6画）
シ
いたる
部首 至（いたる）
至上（しじょう）・至急（しきゅう）・死（し）に至（いた）る

私（7画）
シ
わたくし
わたし
部首 禾（のぎへん）
私用（しよう）・公私（こうし）・私（わたくし（わたし））たち

姿（9画）
シ
すがた
部首 女（おんな）
姿勢（しせい）・姿見（すがたみ）・絵姿（えすがた）

視（11画）
シ
部首 見（みる）
視点（してん）・視線（しせん）・近視（きんし）

詞（12画）
シ
部首 言（ごんべん）
名詞（めいし）・歌詞（かし）・動詞（どうし）

誌（14画）
シ
部首 言（ごんべん）
誌面（しめん）・日誌（にっし）・雑誌（ざっし）

磁（14画）

ジ

部首　石（いしへん）

磁磁磁磁磁磁

磁石（じしゃく）・磁気（じき）・青磁（せいじ）

射（10画）

シャ
いる

部首　寸（すん）

射射射射射射

射殺（しゃさつ）・注射（ちゅうしゃ）・矢（や）を射（い）る

捨（11画）

シャ
すてる

部首　扌（てへん）

捨捨捨捨捨捨

取捨（しゅしゃ）・捨（す）て石（いし）・捨（す）て印（いん）

尺（4画）

シャク

部首　尸（かばね・しかばね）

尺尺尺尺

尺度（しゃくど）・尺八（しゃくはち）

若（8画）

（ジャク）
（ニャク）
わかい
（もしくは）

部首　艹（くさかんむり）

若若若若若若

若者（わかもの）・若草（わかくさ）・若葉（わかば）

樹（16画）

ジュ

部首　木（きへん）

樹樹樹樹樹樹

樹木（じゅもく）・樹海（じゅかい）・植樹（しょくじゅ）

収（4画）

シュウ
おさめる
おさまる

部首　又（また）

収収収

収入（しゅうにゅう）・吸収（きゅうしゅう）・風（かぜ）が収（おさ）まる

宗（8画）

シュウ
（ソウ）

部首　宀（うかんむり）

宗宗宗宗宗

宗教（しゅうきょう）・宗派（しゅうは）・改宗（かいしゅう）

就（12画）

シュウ
（ジュ）
（つく）
（つける）

部首　尢（だいのまげあし）

就就就就就

就職（しゅうしょく）・去就（きょしゅう）・就任（しゅうにん）

衆（12画）

シュウ
（シュ）

部首　血（ち）

衆衆衆衆衆衆

衆知（しゅうち）・衆議院（しゅうぎいん）・観衆（かんしゅう）

従（10画）

ジュウ
（ショウ）
（ジュ）
したがう
したがえる

部首　彳（ぎょうにんべん）

従従従従従従

従事（じゅうじ）・従来（じゅうらい）・親（おや）に従（したが）う

縦（16画）

ジュウ
たて

部首　糸（いとへん）

縦縦縦縦縦縦

縦走（じゅうそう）・縦断（じゅうだん）・縦糸（たていと）

チカラをつけよう

縮（17画）
シュク
ちぢむ
ちぢまる
ちぢめる
ちぢれる
ちぢらす

部首 糸（いとへん）

縮図（しゅくず）・縮れ毛（ちぢれげ）・命（いのち）が縮（ちぢ）む

熟（15画）
ジュク
（うれる）

部首 灬（れんが・れっか）

熟語（じゅくご）・熟考（じゅっこう）・成熟（せいじゅく）

純（10画）
ジュン

部首 糸（いとへん）

純金（じゅんきん）・純真（じゅんしん）・単純（たんじゅん）

処（5画）
ショ

部首 几（つくえ）

処分（しょぶん）・処女作（しょじょさく）・善処（ぜんしょ）

署（13画）
ショ

部首 罒（あみがしら・あみめ・よこめ）

署名（しょめい）・署長（しょちょう）・部署（ぶしょ）

諸（15画）
ショ

部首 言（ごんべん）

諸国（しょこく）・諸君（しょくん）・諸島（しょとう）

除（10画）
ジョ
（ジ）
のぞく

部首 阝（こざとへん）

除名（じょめい）・解除（かいじょ）・不安（ふあん）を除（のぞ）く

承（8画）
ショウ
（うけたまわる）

部首 手（て）

承知（しょうち）・承服（しょうふく）・伝承（でんしょう）

将（10画）
ショウ

部首 寸（すん）

将軍（しょうぐん）・将来（しょうらい）・主将（しゅしょう）

傷（13画）
ショウ
きず
（いたむ）
（いためる）

部首 亻（にんべん）

傷害（しょうがい）・負傷（ふしょう）・傷口（きずぐち）

障（14画）
ショウ
（さわる）

部首 阝（こざとへん）

障害（しょうがい）・支障（ししょう）・故障（こしょう）

蒸（13画）
ジョウ
（むす）
（むれる）
（むらす）

部首 艹（くさかんむり）

蒸発（じょうはつ）・蒸気（じょうき）・水蒸気（すいじょうき）

針（10画）

シン
はり

部首 金（かねへん）

針針針針針針針

針路（しんろ）・方針（ほうしん）・針金（はりがね）

仁（4画）

ジン
（ニ）

部首 亻（にんべん）

仁仁仁仁

仁愛（じんあい）・仁義（じんぎ）・仁術（じんじゅつ）

垂（8画）

スイ
たれる
たらす

部首 土（つち）

垂垂垂垂垂垂垂

垂直（すいちょく）・垂れ目（ため）・雨垂れ（あまだれ）

推（11画）

スイ
（おす）

部首 扌（てへん）

推推推推推推推

推進（すいしん）・推理（すいり）・推測（すいそく）

寸（3画）

スン

部首 寸（すん）

寸寸寸

寸時（すんじ）・寸前（すんぜん）・原寸（げんすん）

盛（11画）

（セイ）
（ジョウ）
もる
（さかる）
（さかん）

部首 皿（さら）

盛盛盛盛盛盛盛

山盛り（やまもり）・目盛り（めもり）

聖（13画）

セイ

部首 耳（みみ）

聖聖聖聖聖聖聖

聖書（せいしょ）・聖火（せいか）・楽聖（がくせい）

誠（13画）

セイ
（まこと）

部首 言（ごんべん）

誠誠誠誠誠誠誠

誠意（せいい）・誠実（せいじつ）・忠誠（ちゅうせい）

舌（6画）

（ゼツ）
した

部首 舌（した）

舌舌舌舌舌舌

舌先（したさき）・舌打ち（したうち）・舌つづみ（したつづみ）

宣（9画）

セン

部首 宀（うかんむり）

宣宣宣宣宣宣宣

宣言（せんげん）・宣伝（せんでん）・宣告（せんこく）

専（9画）

セン
（もっぱら）

部首 寸（すん）

専専専専専専専

専用（せんよう）・専門（せんもん）・専念（せんねん）

泉（9画）

セン
いずみ

部首 水（みず）

泉泉泉泉泉泉泉

温泉（おんせん）・冷泉（れいせん）・泉のほとり（いずみのほとり）

漢字	画数	読み	部首	筆順	用例
洗	（9画）	セン あらう	氵（さんずい）	洗洗洗洗洗洗洗	洗礼（せんれい）・水洗（すいせん）・顔を洗（あら）う
染	（9画）	（セン） そめる そまる （しみる） （しみ）	木（き）	染染染染染染染	染め物（もの）・悪（あく）に染（そ）まる
銭	（14画）	セン （ぜに）	金（かねへん）	銭銭銭銭銭銭銭	銭湯（せんとう）・金銭（きんせん）・つり銭（せん）
善	（12画）	ゼン よい	口（くち）	善善善善善善善	善良（ぜんりょう）・最善（さいぜん）・善（よ）い政治（せいじ）
奏	（9画）	ソウ （かなでる）	大（だい）	奏奏奏奏奏奏奏	奏功（そうこう）・演奏（えんそう）・合奏（がっそう）
窓	（11画）	ソウ まど	穴（あなかんむり）	窓窓窓窓窓窓窓	窓外（そうがい）・車窓（しゃそう）・窓口（まどぐち）
創	（12画）	ソウ つくる	刂（りっとう）	創創創創創創創	創作（そうさく）・独創（どくそう）・未来を創（つく）る
装	（12画）	ソウ （ショウ） （よそおう）	衣（ころも）	装装装装装装装	装具（そうぐ）・装備（そうび）・仮装（かそう）
層	（14画）	ソウ	尸（かばね・しかばね）	層層層層層層層	層雲（そううん）・高層（こうそう）・地層（ちそう）
操	（16画）	ソウ （あやつる） （みさお）	扌（てへん）	操操操操操操操	操作（そうさ）・操縦（そうじゅう）・体操（たいそう）
蔵	（15画）	ゾウ （くら）	艹（くさかんむり）	蔵蔵蔵蔵蔵蔵蔵	蔵書（ぞうしょ）・冷蔵（れいぞう）・土蔵（どぞう）
臓	（19画）	ゾウ	月（にくづき）	臓臓臓臓臓臓臓	臓器（ぞうき）・心臓（しんぞう）・内臓（ないぞう）

存（6画）

ソン
ゾン

部首 子（こ）

存在（そんざい）・存分（ぞんぶん）・保存（ほぞん）

尊（12画）

ソン
たっとい
たっとぶ
とうとい
とうとぶ

部首 寸（すん）

尊敬（そんけい）・尊重（そんちょう）・尊い（とうと（たっと））命（いのち）

退（9画）

タイ
しりぞく
しりぞける

部首 辶（しんにょう・しんにゅう）

後退（こうたい）・引退（いんたい）・地位（ちい）を退く（しりぞ）

宅（6画）

タク

部首 宀（うかんむり）

宅地（たくち）・宅配（たくはい）・自宅（じたく）

担（8画）

タン
（かつぐ）
（になう）

部首 扌（てへん）

担当（たんとう）・担任（たんにん）・負担（ふたん）

探（11画）

タン
さがす
（さぐる）

部首 扌（てへん）

探求（たんきゅう）・探究（たんきゅう）・家（いえ）を探す（さが）

誕（15画）

タン

部首 言（ごんべん）

誕生（たんじょう）・生誕（せいたん）・降誕（こうたん）

段（9画）

ダン

部首 殳（るまた・ほこづくり）

段階（だんかい）・段位（だんい）・階段（かいだん）

暖（13画）

ダン
あたたか
あたたかい
あたたまる
あたためる

部首 日（ひへん）

暖冬（だんとう）・温暖（おんだん）・暖かい（あたた）気候（きこう）

値（10画）

チ
ね
（あたい）

部首 亻（にんべん）

数値（すうち）・価値（かち）・値段（ねだん）

宙（8画）

チュウ

部首 宀（うかんむり）

宙返り（ちゅうがえ）・宇宙（うちゅう）

忠（8画）

チュウ

部首 心（こころ）

忠義（ちゅうぎ）・忠告（ちゅうこく）・忠実（ちゅうじつ）

著（11画）
チョ
（あらわす）
（いちじるしい）

部首 艹（くさかんむり）

著者（ちょしゃ）・著名（ちょめい）・名著（めいちょ）

庁（5画）
チョウ

部首 广（まだれ）

庁舎（ちょうしゃ）・官庁（かんちょう）・県庁（けんちょう）

頂（11画）
チョウ
いただき
いただく

部首 頁（おおがい）

頂上（ちょうじょう）・山（やま）の頂（いただき）・物（もの）を頂（いただ）く

腸（13画）
チョウ

部首 月（にくづき）

胃腸（いちょう）・小腸（しょうちょう）・大腸（だいちょう）

潮（15画）
チョウ
しお

部首 氵（さんずい）

潮流（ちょうりゅう）・潮風（しおかぜ）・赤潮（あかしお）

賃（13画）
チン

部首 貝（かい・こがい）

賃金（ちんぎん）・賃貸（ちんたい）・運賃（うんちん）

痛（12画）
ツウ
いたい
いたむ
いためる

部首 疒（やまいだれ）

痛切（つうせつ）・痛手（いたで）・胸（むね）を痛（いた）める

敵（15画）
テキ
（かたき）

部首 攵（のぶん・ぼくづくり）

敵意（てきい）・敵国（てきこく）・強敵（きょうてき）

展（10画）
テン

部首 尸（かばね・しかばね）

展示（てんじ）・展開（てんかい）・発展（はってん）

討（10画）
トウ
（うつ）

部首 言（ごんべん）

討議（とうぎ）・討論（とうろん）・検討（けんとう）

党（10画）
トウ

部首 儿（ひとあし・にんにょう）

党派（とうは）・党員（とういん）・悪党（あくとう）

糖（16画）
トウ

部首 米（こめへん）

糖分（とうぶん）・砂糖（さとう）・果糖（かとう）

漢字	画数	読み	部首	用例
届	（8画）	とどける とどく	尸（かばね・しかばね）	届け出（とどけで）・無届け（むとどけ）
難	（18画）	ナン むずかしい （かたい）	隹（ふるとり）	難問（なんもん）・困難（こんなん）・難しい問題（むずかしいもんだい）
乳	（8画）	ニュウ ちち （ち）	し（おつ）	乳児（にゅうじ）・牛乳（ぎゅうにゅう）・乳を飲む（ちちをのむ）
認	（14画）	（ニン） みとめる	言（ごんべん）	人格を認める（じんかくをみとめる）・認め印（みとめいん）
納	（10画）	ノウ （ナッ・トウ） （ナ・ナン） おさめる おさまる	糸（いとへん）	納入（のうにゅう）・未納（みのう）・仕事納め（しごとおさめ）
脳	（11画）	ノウ	月（にくづき）	脳波（のうは）・脳死（のうし）・大脳（だいのう）
派	（9画）	ハ	氵（さんずい）	派生（はせい）・派手（はで）・宗派（しゅうは）
拝	（8画）	ハイ おがむ	扌（てへん）	拝見（はいけん）・参拝（さんぱい）・神様を拝む（かみさまをおがむ）
背	（9画）	ハイ せ せい （そむく） （そむける）	肉（にく）	背景（はいけい）・背中（せなか）・上背（うわぜい）
肺	（9画）	ハイ	月（にくづき）	肺臓（はいぞう）・肺活量（はいかつりょう）・片肺（かたはい）
俳	（10画）	ハイ	亻（にんべん）	俳句（はいく）・俳号（はいごう）・俳優（はいゆう）
班	（10画）	ハン	王（おうへん・たまへん）	班長（はんちょう）・班別（はんべつ）・各班（かくはん）

晩（12画）
バン
部首 日（ひへん）
晩晩晩晩晩晩晩
晩年（ばんねん）・晩春（ばんしゅん）・今晩（こんばん）

否（7画）
ヒ
（いな）
部首 口（くち）
否否否否否否否
否決（ひけつ）・否定（ひてい）・可否（かひ）

批（7画）
ヒ
部首 扌（てへん）
批批批批批批批
批難（ひなん）・批評（ひひょう）・批判（ひはん）

秘（10画）
ヒ
（ひめる）
部首 禾（のぎへん）
秘秘秘秘秘秘秘
秘書（ひしょ）・秘密（ひみつ）・神秘（しんぴ）

俵（10画）
ヒョウ
たわら
部首 亻（にんべん）
俵俵俵俵俵俵俵
土俵（どひょう）・米俵（こめだわら）・炭俵（すみだわら）

腹（13画）
フク
はら
部首 月（にくづき）
腹腹腹腹腹腹腹
腹心（ふくしん）・腹部（ふくぶ）・腹黒い（はらぐろい）

奮（16画）
フン
ふるう
部首 大（だい）
奮奮奮奮奮奮奮
奮起（ふんき）・興奮（こうふん）・奮い立つ（ふるいたつ）

並（8画）
（ヘイ）
なみ
ならぶ
ならべる
ならびに
部首 一（いち）
並並並並並並並
並木（なみき）・足並（あしなみ）・机を並べる（つくえをならべる）

陛（10画）
ヘイ
部首 阝（こざとへん）
陛陛陛陛陛陛陛
陛下（へいか）・（天皇陛下（てんのうへいか））

閉（11画）
ヘイ
とじる
しめる
しまる
（とざす）
部首 門（もんがまえ）
閉閉閉閉閉閉閉
閉店（へいてん）・閉じる（とじる）・店を閉める（みせをしめる）

片（4画）
（ヘン）
かた
部首 片（かた）
片片片片
片時（かたとき）・片方（かたほう）・片道（かたみち）

補（12画）
ホ
おぎなう
部首 衤（ころもへん）
補補補補補補補
補欠（ほけつ）・候補（こうほ）・説明を補う（せつめいをおぎなう）

暮（14画）

（ボ）　くれる　くらす

部首　日（ひ）

年(とし)の暮(く)れ・楽(たの)しく暮(く)らす

宝（8画）

ホウ　たから

部首　宀（うかんむり）

宝石(ほうせき)・家宝(かほう)・宝船(たからぶね)

訪（11画）

ホウ　たずねる　（おとずれる）

部首　言（ごんべん）

訪問(ほうもん)・来訪(らいほう)・友(とも)を訪(たず)ねる

亡（3画）

ボウ　（モウ）　（ない）

部首　亠（なべぶた・けいさんかんむり）

亡命(ぼうめい)・亡夫(ぼうふ)・死亡(しぼう)

忘（7画）

（ボウ）　わすれる

部首　心（こころ）

忘(わす)れ物(もの)・年忘(としわす)れ

棒（12画）

ボウ

部首　木（きへん）

棒読(ぼうよ)み・相棒(あいぼう)・鉄棒(てつぼう)

枚（8画）

マイ

部首　木（きへん）

枚数(まいすう)・枚挙(まいきょ)・一枚(いちまい)

幕（13画）

マク　バク

部首　巾（はば）

幕内(まくうち)・字幕(じまく)・幕府(ばくふ)

密（11画）

ミツ

部首　宀（うかんむり）

密集(みっしゅう)・密度(みつど)・秘密(ひみつ)

盟（13画）

メイ

部首　皿（さら）

盟友(めいゆう)・盟主(めいしゅ)・加盟(かめい)

模（14画）

モ　ボ

部首　木（きへん）

模型(もけい)・模様(もよう)・規模(きぼ)

訳（11画）

ヤク　わけ

部首　言（ごんべん）

訳文(やくぶん)・和訳(わやく)・言(い)い訳(わけ)

郵（11画）
ユウ

部首　阝（おおざと）

郵送（ゆうそう）・郵便（ゆうびん）・郵船（ゆうせん）

優（17画）
ユウ　（やさしい）　（すぐれる）

部首　亻（にんべん）

優先（ゆうせん）・優勝（ゆうしょう）・女優（じょゆう）

預（13画）
ヨ　あずける　あずかる

部首　頁（おおがい）

預貯金（よちょきん）・預かり証（あずかりしょう）

幼（5画）
ヨウ　おさない

部首　幺（よう・いとがしら）

幼児（ようじ）・幼虫（ようちゅう）・幼友達（おさなともだち）

欲（11画）
ヨク　（ほしい）　（ほっする）

部首　欠（あくび・かける）

欲望（よくぼう）・欲求（よっきゅう）・意欲（いよく）

翌（11画）
ヨク

部首　羽（はね）

翌月（よくげつ）・翌日（よくじつ）・翌年（よくねん）

乱（7画）
ラン　みだれる　みだす

部首　乚（おつ）

乱暴（らんぼう）・混乱（こんらん）・列を乱す（みだす）

卵（7画）
（ラン）　たまご

部首　卩（わりふ・ふしづくり）

卵焼き（たまごやき）・生卵（なまたまご）

覧（17画）
ラン

部首　見（みる）

回覧（かいらん）・遊覧（ゆうらん）・観覧（かんらん）

裏（13画）
（リ）　うら

部首　衣（ころも）

裏口（うらぐち）・裏話（うらばなし）・裏表（うらおもて）

律（9画）
リツ　（リチ）

部首　彳（ぎょうにんべん）

律動（りつどう）・規律（きりつ）・法律（ほうりつ）

臨（18画）
リン　（のぞむ）

部首　臣（しん）

臨海（りんかい）・臨時（りんじ）・君臨（くんりん）

朗（10画）	論（15画）	計	10～6級までの合計	累計（るい）
ロウ（ほがらか）	ロン			
部首 月（つき） 朗朗朗朗朗朗朗 朗報（ろうほう）・朗読（ろうどく）・明朗（めいろう）	部首 言（ごんべん） 論論論論論論論 論議（ろんぎ）・論文（ろんぶん）・結論（けつろん）	一九一字	八三五字	一、〇二六字

特別な読みかた

明日　あす
大人　おとな
母さん　かあさん
河原・川原　かわら
昨日　きのう
今日　きょう
果物　くだもの
今朝　けさ
景色　けしき
今年　ことし
清水　しみず
上手　じょうず
七夕　たなばた
一日　ついたち
手伝う　てつだう
父さん　とうさん

時計　とけい
友達　ともだち
兄さん　にいさん
姉さん　ねえさん
博士　はかせ
二十日　はつか
一人　ひとり
二人　ふたり
二日　ふつか
下手　へた
部屋　へや
迷子　まいご
真面目　まじめ
真っ赤　まっか
真っ青　まっさお
眼鏡　めがね
八百屋　やおや

チカラをつけよう

画数別 5級配当漢字表

3画　干己寸亡
4画　尺収仁片
5画　穴冊処庁幼
6画　宇灰危机吸后至舌存宅
7画　我系孝困私否批忘乱卵
8画　延沿拡供券呼刻若宗承垂担宙忠届乳拝並宝枚
9画　胃映革巻看皇紅砂姿宣専泉洗染奏退段派背肺律
10画　恩株胸降骨座蚕射従純除将針値展討党納俳班秘俵陛朗
11画　異域郷済視捨推盛窓探著頂脳閉訪密訳郵欲翌
12画　割揮貴勤筋敬裁策詞就衆善創装尊痛晩補棒
13画　絹源署傷蒸聖誠暖腸賃腹幕盟預裏
14画　閣疑誤穀誌磁障銭層認暮模
15画　遺劇権熟諸蔵誕潮敵論
16画　激憲鋼樹縦操糖奮
17画　厳縮優覧
18画　簡難臨
19画　警臓

まちがえやすい画数の形

5級配当漢字のまちがえやすい画数の形です。はなして書くところ、続けて書くところに注意しましょう。

●1画で書く

拡至私窓

郷裁卵裏朗収装展

批

疑降視承蒸泉段暖

痛腹補優

胃閣箇鋼冊詞射腸

痛納閉補翌論

困片

危胸勤筋敬警激傷

盛誠肺訪幼卵

●2画で書く

吸

誤

机穀熟処染段

値胸脳

亡忘

姿

箇筋敬警激策

敵腹枚臨

卵

后派

段派

衆推難奮

衆承蒸泉装裏

展派

●3画で書く

姿欲

補

延誕

巻己

孝熟承蒸存乳

刻

胸脳

遺退

延誕

郷降除障陛

郵

郷

系絹紅磁縦

縮純納幼

注意したい筆順

漢字検定では、二通り以上の筆順があるものについては文部科学省が採用しているほうを、採点の基準にしています。（　）の中は5級配当漢字。

上⇒丨 ⺊ 上

耳⇒一 丅 下 臣 耳（厳聖）

無⇒𠂉 仁 無 無 無

興⇒⺊ 印 𦥑 𦥯 興 興

感⇒丿 厂 后 咸 咸 感 感

臣⇒一 厂 𠂆 臣 臣 臣（蔵臓臨）

由⇒丨 冂 巾 由 由（宙届）

寒⇒宀 宀 宑 寉 寒

服⇒月 月 肌 服 服

成⇒丿 厂 万 成 成（盛誠）

再⇒一 冂 丙 再 再

衆⇒血 衆 衆 衆（衆）

非⇒丿 ヨ 非 非（俳）

馬⇒丨 厂 𠂉 馬 馬 馬

必⇒丶 ソ 义 必 必（秘密）

発⇒ヲ ヌ 癶 癶 発 発

承⇒フ 了 子 孑 手 承 承 承

書きまちがえやすい5級配当漢字

（　）の中が正しい漢字

延（延）　郷（郷）　策（策）　象（衆）　染（染）　派（派）　論（論）

巻（巻）　勤（勤）　捨（捨）　熱（熟）　党（党）　片（片）

危（危）　巳（己）　收（収）　蒸（蒸）　脳（脳）　補（補）

「点」に注意したい5級配当漢字

域　裁　熟　誠　蔵　補

我　就　盛　銭　臓　宝

本書記載の情報は制作時点のものです。受検をお考えの方は、必ずご自身で下記の公益財団法人 日本漢字能力検定協会の発表する最新情報をご確認ください。

公益財団法人 日本漢字能力検定協会
【ホームページ】 https://www.kanken.or.jp/
<本部> 京都市東山区祇園町南側 551 番地
ホームページにある「よくある質問」を読んで該当する質問がみつからなければメールフォームでお問合せください。電話でのお問合せ窓口は 0120－509－315（無料）です。

◆「漢検」「漢字検定」は公益財団法人 日本漢字能力検定協会の登録商標です。

本書に関する正誤等の最新情報は、下記のアドレスでご確認ください。
https://www.seibidoshuppan.co.jp/info/honshi-kanken5-2411

◉ 上記アドレスに掲載されていない箇所で、正誤についてお気づきの場合は、書名・質問事項・氏名・住所（または FAX 番号）を明記の上、**成美堂出版**まで**郵送**または **FAX** でお問い合わせください。**お電話でのお問い合わせはお受けできません。**
◉ 本書の内容を超える質問等にはお答えできませんので、あらかじめご了承ください。また、受検指導などは行っておりません。
◉ ご質問の到着確認後10日前後で、回答を普通郵便またはFAXで発送いたします。
◉ ご質問の受付期限は、2025年10月末日到着分までといたします。ご了承ください。

よくあるお問い合わせ

Q **持っている辞書に掲載されている部首と、本書に掲載されている部首が違いますが、どちらが正解でしょうか？**

A 辞書によっては、部首としているものが異なることがあります。**漢検の採点基準では、「漢検要覧 2〜10 級対応 改訂版」（日本漢字能力検定協会発行）で示しているものを正解としています**ので、本書もこの基準に従っています。そのためお持ちの辞書と部首が異なることがあります。

本試験型 漢字検定5級試験問題集 '25年版

2024年12月1日発行

編 著 成美堂出版編集部
発行者 深見公子
発行所 成美堂出版
〒162-8445 東京都新宿区新小川町1-7
電話(03)5206-8151 FAX(03)5206-8159
印 刷 大盛印刷株式会社

ISBN978-4-415-23912-5
落丁·乱丁などの不良本はお取り替えします
定価はカバーに表示してあります

本試験型

漢字検定試験問題集

'25年版

解答・解説

◀ 矢印方向に引くと別冊の解答・解説が外れます。

成美堂出版

第1回 テスト 解答・解説

(一) 読み

グレーの部分は解答の補足です

各1点 計20点

1 いひん
2 ちいき
3 うちゅう
4 たて
5 ちぢ(む)
6 つく(る)
7 われ
8 そ(って)
9 かくちょう
10 ぞうき
11 てんしゅかく
12 ゆうしょう
13 おさな(い)
14 みだ(れた)
15 ゆうらんせん
16 ほうりつ
17 たまごりょうり
18 した
19 じんあい
20 きざ(む)

5「身の縮(ちぢ)む思い」は、おそれ多かったり、申し訳なく思ったりして、体を小さくするような思いのこと。

7「我(われ)を忘れる」は、物事に心を奪(うば)われてしまい、ぼんやりとすること。興奮して理性を失うこと。

11「天守閣(てんしゅかく)」は、城の中でも一番高く築かれた建築物のこと。

(二) 部首と部首名

部首や部首名は解答の補足です

各1点 計10点

1 こ 糸
2 キ いとへん
3 き 廴
4 ウ えんにょう
5 か 火
6 カ ひ
7 あ 土
8 エ つちへん
9 お 心
10 イ こころ

(三) 画数

各1点 計10点

1 3
2 7
3 2
4 18
5 5
6 5
7 7
8 13
9 12
10 14

(四) 漢字と送りがな

各2点 計10点

1 割(わ)れる
2 危(あぶ)ない
3 疑(うたが)う
4 供(そな)える
5 預(あず)ける

(五) 音と訓

各2点 計20点

1 ウ 節目(ふしめ)
2 イ 客足(キャクあし)
3 ア 内閣(ナイカク)
4 エ 野宿(のジュク)
5 ウ 米俵(こめだわら)
6 イ 別物(ベツもの)
7 エ 道順(みちジュン)
8 ア 模型(モケイ)
9 イ 両手(リョウて)
10 ウ 旅路(たびじ)

(六) 四字熟語

グレーの部分は解答の補足です

各2点 計20点

1 帰宅時間(きたくじかん)
2 担任教師(たんにんきょうし)
3 首脳会議(しゅのうかいぎ)
4 暖冬予報(だんとうよほう)
5 価値判断(かちはんだん)
6 満潮時刻(まんちょうじこく)
7 高層建築(こうそうけんちく)
8 私利私欲(しりしよく)
9 誕生記念(たんじょうきねん)
10 五段活用(ごだんかつよう)

家に帰る時間のこと。

学級を受け持つ先生のこと。

国の首相や大統領が行う会議のこと。

冬が例年よりも暖かくなるという予想を知らせること。

ある物事の値打ちや効果を評価すること。

一日に二度ある、潮が満ちて海面が最も高くなる時刻のこと。

階を重ねた高い建物。

自分の利益や欲求だけで行動すること。

生まれたことを記念すること。

日本語の語尾の活用が「アイウエオ」の五段全部にわたって変化すること。

問題は本冊P10~15

(七) 対義語・類義語

各2点 計20点

グレーの部分は問題の熟語です

1 友好⇔敵対
2 正常⇔異常
3 権利⇔義務
4 複雑⇔簡単
5 保守⇔革新
6 不在＝留守
7 講評＝批評
8 善戦＝奮戦
9 同士＝相棒
10 助言＝忠告

5「保守」は、古くからの習慣や考え方を尊重し、維持すること。

7「批評」は、物事の良い悪いを見分け意見を述べること。

8「奮戦」は、力いっぱい戦うこと。

(八) 熟語作り

各2点 計10点

1 キ ケ 乗除
2 イ カ 将来
3 エ ア 保障
4 ウ コ 蒸発
5 ク オ 雑誌

(九) 熟語の構成

各2点 計20点

1 エ
2 イ
3 イ
4 ア
5 ア
6 イ
7 ウ
8 エ
9 ア
10 イ

育児 育(てる)←児(子どもを)
胃腸 どちらも「臓器」の一種。
尊敬 どちらも「うやまう」の意味。
増減 増(える)⇔減(る)
前後 前⇔後(ろ)
危険 どちらも「あぶない」の意味。
山頂 山(の)→頂
乗車 乗(る)←車(に)
存亡 存(存続する)⇔亡(滅びる)
映写 どちらも「うつす」の意味。

(十) 同じ読みの漢字

各2点 計20点

グレーの部分は解答の補足です

1 (教)師
2 視(力)
3 納(めた)
4 修(める)
5 (内)蔵
6 (心)臓
7 (政)党
8 (砂)糖
9 衆(知)
10 宗(教)

3「納める」は、金や物を受け取る側に渡すこと。

4「修める」は、習い学ぶこと。

9「衆知」は、たくさんの人がもつ知恵のこと。

(十一) 漢字

各2点 計40点

グレーの部分は送りがなです

1 入場券
2 処理
3 腹
4 二枚
5 開幕
6 密室
7 連盟
8 蚕
9 片付(け)
10 閉(じ)
11 大規模
12 私
13 補(う)
14 暮(らす)
15 郵便
16 並(んで)
17 訳文
18 訪米
19 砂場
20 針

5「開幕」は、物事が始まること。

17「訳文」は、ある言語から他の言語に置きかえて表した文章のこと。

20「真綿に針を包む」とは、上辺は親切そうだが、心の中に悪意をもっていることのたとえ。

5級 第2回 テスト 解答・解説

問題は本冊P16~21

（一） 読み

グレーの部分は解答の補足です

各1点 計20点

1 かんばん
2 しき
3 きちょうひん
4 かぶしき
5 わ（れ）
6 ぜんごさく
7 へいこうぼう
8 ほ（す）
9 ま（く）
10 さば（いた）
11 ごまい
12 よ（び）
13 ひみつ
14 うたが（い）
15 す（い）
16 みなもと
17 せいこう
18 あず（かった）
19 どうし
20 たからばこ

4「**株式会社**（かぶしきがいしゃ）」は、株を発行することで資金を得て運営する会社のこと。
6「**善後策**（ぜんごさく）」は、あとにしこりを残さないような後始末のやり方。
7「**平行棒**（へいこうぼう）」は、器械体操の種目の一種で、横に並んだ棒を使って演技を行う。

（二） 部首と部首名

部首や部首名は解答の補足です

各1点 計10点

1 き ⺮　2 カ たけかんむり
3 こ 刂　4 ウ りっとう
5 あ 目　6 ケ め
7 え 扌　8 コ てへん
9 お 𧾷　10 エ ひき

（三） 画数

各1点 計10点

1 6　2 8　3 2　4 8　5 7
6 11　7 8　8 9　9 6　10 14

（四） 漢字と送りがな

各2点 計10点

1 幼（おさな）い
2 乱（みだ）れる
3 映（うつ）る
4 延（の）びる
5 営（いとな）む

（五） 音と訓

各2点 計20点

1 イ 役（ヤク）場（ば）
2 ア 和（ワ）式（シキ）
3 ウ 舌（した）先（さき）
4 ウ 目（め）薬（ぐすり）
5 エ 若（わか）気（ゲ）
6 イ 幕（マク）内（うち）
7 ウ 大（おお）味（あじ）
8 ア 共（キョウ）同（ドウ）
9 エ 荷（に）物（モツ）
10 イ 曜（ヨウ）日（び）

（六） 四字熟語

グレーの部分は解答の補足です

各2点 計20点

1 人気絶頂（にんきぜっちょう）
2 無賃乗車（むちんじょうしゃ）
3 専門学校（せんもんがっこう）
4 永久磁石（えいきゅうじしゃく）
5 自己主張（じこしゅちょう）
6 宇宙遊泳（うちゅうゆうえい）
7 応急処置（おうきゅうしょち）
8 条件反射（じょうけんはんしゃ）
9 難行苦行（なんぎょうくぎょう）
10 加糖練乳（かとうれんにゅう）

人気が最もある状態。
お金を払（はら）わず電車などに乗ること。
職業や実生活に必要な知識や技術を学ぶための学校。
磁力をいつまでももち続けている磁石。
自分の意見をはっきり言うこと。
宇宙で宇宙飛行士が宇宙船外で行動すること。
急病人やけが人に、とりあえずその場でしておく処置。
ある条件を与（あた）えられると起こる反射運動のこと。
大変な苦労をすること。
牛乳に砂糖を加えた乳製品の一種。

(七) 対義語・類義語

各2点 計20点

グレーの部分は問題の熟語です

1 回答（かいとう）⇔質問（しつもん）
2 安全（あんぜん）⇔危険（きけん）
3 遠洋（えんよう）⇔沿岸（えんがん）
4 大人（おとな）⇔子供（こども）
5 義務（ぎむ）⇔権利（けんり）
6 貯金（ちょきん）＝預金（よきん）
7 有名（ゆうめい）＝著名（ちょめい）
8 他界（たかい）＝死亡（しぼう）
9 役者（やくしゃ）＝俳優（はいゆう）
10 判定（はんてい）＝批評（ひひょう）

5「義務（ぎむ）」は、人が人として、あるいは立場上、当然しなければならない務め。

5「権利（けんり）」は、物事を自分の意志によって自由に行ったり、人に要求したりできる能力や資格のこと。

(八) 熟語作り

各2点 計10点

1 キ ウ 推量（すいりょう）
2 カ ケ 寸志（すんし）
3 ア イ 聖書（せいしょ）
4 エ オ 誠実（せいじつ）
5 ク コ 宣告（せんこく）

(九) 熟語の構成

各2点 計20点

1 エ
2 イ
3 ウ
4 ア
5 ア
6 ウ
7 イ
8 エ
9 ア
10 エ

在宅（ざいたく） 在（いる）↑宅（家に）
申告（しんこく） どちらも「もうす」の意味。
永住（えいじゅう） 永（く）↓住（む）
寒暖（かんだん） 寒（い）↕暖（かい）
公私（こうし） 公（おおやけ）↕私（わたくし、個人的）
夜勤（やきん） 夜（に）↓勤（める）
生誕（せいたん） どちらも「うまれる」の意味。
洗顔（せんがん） 洗（う）↑顔（を）
多少（たしょう） 多（い）↕少（ない）
防音（ぼうおん） 防（ぐ）↑音（を）

(十) 同じ読みの漢字

各2点 計20点

グレーの部分は解答の補足です

1 除（のぞ）（く）
2 望（のぞ）（み）
3 諸（しょ）（島）（とう）
4 （警察）（けいさつ）署（しょ）
5 退（たい）（院）（いん）
6 態（たい）（度）（ど）
7 （大）（たい）将（しょう）
8 招（しょう）（待）（たい）
9 蒸（じょう）（気）（き）
10 （賞）（しょう）状（じょう）

3「諸島（しょとう）」は、一定の範囲（はんい）内に散在する複数の島の集まりのこと。

8「招待（しょうたい）」は、人を招いてもてなすこと。

(十一) 漢字

各2点 計40点

グレーの部分は送りがなです

1 優勢（ゆうせい）
2 食欲（しょくよく）
3 絹（きぬ）
4 翌月（よくげつ）
5 展示（てんじ）
6 一律（いちりつ）
7 米俵（こめだわら）
8 臨終（りんじゅう）
9 朗読（ろうどく）
10 忘（わす）（れる）
11 論（ろん）（じる）
12 座（すわ）（る）
13 訳（わけ）
14 一尺（いっしゃく）
15 届（とど）（ける）
16 一覧（いちらん）
17 認（みと）（める）
18 拝（おが）（み）
19 紅花（べにばな）
20 背（せ）

8「臨終（りんじゅう）」は、死に際（ぎわ）のこと。

9「朗読（ろうどく）」は、声に出して詩や小説を読むこと。

20「背（せ）に腹（はら）はかえられぬ」は、差し迫（せま）った大事のためには、他の小さいことが犠牲（ぎせい）になってもやむを得ない、ということ。

問題は本冊 P22〜27

(一) 読み

各1点 計20点

グレーの部分は解答の補足です

1 きう
2 あおけいとう
3 じゅひょう
4 そな(える)
5 なら(べる)
6 つと(めた)
7 げきてき
8 うやま(い)
9 はげ(しい)
10 ひてい
11 ひはん
12 あなば
13 ひでん
14 はら
15 へいか
16 すじ
17 みっぺい
18 ていきけん
19 ふる(って)
20 そ(めた)

1「気宇(きう)」は、心のもちかた。心の広さ。

7「劇的(げきてき)」は、劇を見ているような緊張(きんちょう)や感動を覚えること。

12「穴場(あなば)」は、人に知られていないとてもよい場所。

13「秘伝(ひでん)」は、秘密にして特定の人にしか教えない事柄(ことがら)。

16「筋書(すじが)き」は、もくろみ、計算のこと。

(二) 部首と部首名

各1点 計10点

部首や部首名は解答の補足です

1 こ 月
2 カ にくづき
3 い 攵
4 エ のぶん ぼくづくり
5 お 力
6 コ ちから
7 か 氵
8 ケ さんずい
9 え 言
10 ウ げん

(三) 画数

各1点 計10点

1 3
2 10
3 5
4 12
5 7
6 18
7 11
8 12
9 3
10 6

(四) 漢字と送りがな

各2点 計10点

1 厳(きび)しい
2 誤(あやま)る
3 補(おぎな)う
4 暖(あたた)まる
5 困(こま)る

(五) 音と訓

各2点 計20点

1 エ 見本(みホン)
2 ア 内臓(ナイゾウ)
3 エ 片棒(かたボウ)
4 ウ 灰皿(はいざら)
5 イ 仕方(シかた)
6 イ 雑木(ゾウき)
7 ア 才人(サイジン)
8 ウ 窓口(まどぐち)
9 ア 穀物(コクモツ)
10 ウ 砂場(すなば)

(六) 四字熟語

各2点 計20点

グレーの部分は解答の補足です

1 視力検査(しりょくけんさ)
2 脳死判定(のうしはんてい)
3 反主流派(はんしゅりゅうは)
4 仏像拝観(ぶつぞうはいかん)
5 速達郵便(そくたつゆうびん)
6 月刊雑誌(げっかんざっし)
7 株主総会(かぶぬしそうかい)
8 首班指名(しゅはんしめい)
9 大器晩成(たいきばんせい)
10 完全燃焼(かんぜんねんしょう)

1 視力を検査すること。
2 脳死であるかどうかを判定すること。
3 権力をもつ主流派に対抗(こう)する勢力のこと。
4 お寺などで仏像を眺(なが)めること。
5 通常に出す郵便よりも早く届く郵便のこと。
6 一か月に一度発行される雑誌のこと。
7 株主を構成員として、会社の重要事項(こう)などを決定する会のこと。
8 内閣総理大臣を指名すること。
9 大人物は遅(おく)れて大成するということ。
10 物が燃え尽(つ)きること。また、力を出し切ることの比喩的な表現のこと。

(七) 対義語・類義語

各2点 計20点

グレーの部分は問題の熟語です

1 入場(にゅうじょう)⇕退場(たいじょう)
2 応答(おうとう)⇕質疑(しつぎ)
3 発散(はっさん)⇕吸収(きゅうしゅう)
4 順境(じゅんきょう)⇕逆境(ぎゃっきょう)
5 縮小(しゅくしょう)⇕拡大(かくだい)
6 命令(めいれい)＝指示(しじ)
7 悪人(あくにん)＝悪党(あくとう)
8 改良(かいりょう)＝改善(かいぜん)
9 直前(ちょくぜん)＝寸前(すんぜん)
10 各国(かっこく)＝諸国(しょこく)

2「質疑(しつぎ)」は、疑わしい点を問いただすこと。

4「逆境(ぎゃっきょう)」は、不幸せな身の上のこと。

(八) 熟語作り

各2点 計10点

1 カ コ 創意(そうい)
2 ア オ 装置(そうち)
3 キ ケ 情操(じょうそう)
4 ク ウ 冷蔵(れいぞう)
5 エ イ 存在(そんざい)

(九) 熟語の構成

各2点 計20点

1 エ 登頂(とうちょう) 登(る)⬆頂(上に)
2 ウ 家賃(やちん) 家(家や部屋を)⬇賃(借りてはらうお金)
3 ア 縦横(じゅうおう) 縦⬍横
4 イ 展開(てんかい) どちらも「ひらく」の意味。
5 ア 当落(とうらく) 当(たる)⬍落(ちる)
6 エ 敬老(けいろう) 敬(う)⬆老(人を)
7 ア 乗降(じょうこう) 乗(る)⬍降(りる)
8 ウ 胃液(いえき) 胃(の)⬇液
9 イ 提供(ていきょう) どちらも「だす」の意味。
10 ア 高低(こうてい) 高(い)⬍低(い)

(十) 同じ読みの漢字

各2点 計20点

グレーの部分は解答の補足です

1 推(すい)(移(い))
2 垂(すい)(直(ちょく))
3 増(ふ)(えた)
4 降(ふ)(り)
5 承(しょう)(知(ち))
6 障(しょう)(害(がい))
7 宣(せん)(告(こく))
8 専(せん)(門家(もんか))
9 除(じょ)(草(そう))
10 序(じょ)(章(しょう))

1「推移(すいい)」は、状態などが移り行くこと。時の流れとともに移り変わっていくこと。

(十一) 漢字

各2点 計40点

グレーの部分は送りがなです

1 大腸(だいちょう)
2 音域(おんいき)
3 故郷(こきょう)
4 幼(おさな)(い)
5 砂糖(さとう)
6 庁舎(ちょうしゃ)
7 内閣(ないかく)
8 私(わたくし)
9 納(おさ)(める)
10 異(こと)(なる)
11 卵(たまご)
12 沿(そ)(って)
13 裏切(うらぎ)(る)
14 映像(えいぞう)
15 警報(けいほう)
16 姿(すがた)
17 明朗(めいろう)
18 至(いた)(った)
19 君臨(くんりん)
20 骨折(ほねお)(り)

6「庁舎(ちょうしゃ)」は、官公庁の建物のこと。

15「警報(けいほう)」は、危険が迫(せま)っていると知らせること。

17「明朗(めいろう)」は、性格が明るく朗(ほが)らかなこと。うそなどがないこと。

19「君臨(くんりん)」は、主君として国家を統治すること。

問題は本冊 P28~33

(一) 読み

各1点 計20点

グレーの部分は解答の補足です

1 じっけん
2 さんけい
3 じこりゅう
4 きぬ
5 い(た)
6 かんてん
7 あっかん
8 しゅうそ
9 よ(ばれた)
10 あやま(って)
11 くちべに
12 はで
13 はいかつりょう
14 みと(め)
15 おやふこう
16 はいゆう
17 よきん
18 おが(んで)
19 せびろ
20 く(れ)

1「実権(じっけん)」は、他人を抑(おさ)えて実際に物事をすすめていく力。
5「的(まと)を射(い)た」は的確に要点を捉(とら)えるという意味。
8「宗祖(しゅうそ)」は、宗派を開いた人のこと。
19「背広(せびろ)」は、スーツのこと。

(二) 部首と部首名

各1点 計10点

部首や部首名は解答の補足です

1 き ⺍　2 キ つかんむり
3 け 心　4 ケ こころ
5 あ 子　6 ア こ
7 お 女　8 カ おんな
9 え 口　10 コ くち

(三) 画数

各1点 計10点

1 7
2 10
3 4
4 11
5 4
6 15
7 7
8 12
9 11
10 16

(四) 漢字と送りがな

各2点 計10点

1 至(いた)る
2 捨(す)てる
3 若(わか)い
4 縮(ちぢ)れる
5 従(したが)う

(五) 音と訓

各2点 計20点

1 ア 孝行(コウコウ)
2 イ 札束(サツたば)
3 ウ 炭俵(すみだわら)
4 エ 国別(くにベツ)
5 イ 仕事(シごと)
6 ア 皇后(コウゴウ)
7 ウ 宝船(たからぶね)
8 ア 誤解(ゴカイ)
9 エ 裏作(うらサク)
10 ウ 紅花(べにばな)

(六) 四字熟語

各2点 計20点

グレーの部分は解答の補足です

1 公衆電話(こうしゅうでんわ)　街角にある、料金を払(はら)えばだれでも使える電話。
2 女性警官(じょせいけいかん)　女性の警察官のこと。
3 社長秘書(しゃちょうひしょ)　社長の重要な書類に関しての事務を行う人のこと。
4 準備体操(じゅんびたいそう)　運動をする前に、けがをしないよう準備のために行う体操。
5 興奮状態(こうふんじょうたい)　とても気持ちが高ぶっている状態のこと。
6 基本方針(きほんほうしん)　基本となる方向性のこと。
7 女王陛下(じょおうへいか)　女性の王様のこと。
8 閉店時間(へいてんじかん)　店を閉める時間のこと。
9 片側通行(かたがわつうこう)　道の片側を通らなくてはならないこと。
10 補習授業(ほしゅうじゅぎょう)　普(ふ)段の授業を補うために行われる授業のこと。

(七) 対義語・類義語

各2点 計20点

グレーの部分は問題の熟語です

1 損害（そんがい）⇔利益（りえき）
2 現在（げんざい）⇔過去（かこ）
3 河口（かこう）⇔水源（すいげん）
4 容易（ようい）⇔困難（こんなん）
5 同意（どうい）⇔異議（いぎ）
6 気質（きしつ）＝性格（せいかく）
7 議論（ぎろん）＝討論（とうろん）
8 手段（しゅだん）＝方策（ほうさく）
9 筆者（ひっしゃ）＝著者（ちょしゃ）
10 誠実（せいじつ）＝忠実（ちゅうじつ）

3「水源（すいげん）」は、水の流れ出るもと。源。

7「討論（とうろん）」は、問題について意見を述べ合うこと。

8「方策（ほうさく）」は、はかりごと。手段や方法のこと。

(八) 熟語作り

各2点 計10点

1 エ イ 担当（たんとう）
2 キ ケ 探査（たんさ）
3 カ コ 段落（だんらく）
4 ウ ア 清純（せいじゅん）
5 ク オ 専門（せんもん）

(九) 熟語の構成

各2点 計20点

1 ウ
2 ア
3 エ
4 ウ
5 イ
6 エ
7 イ
8 ウ
9 エ
10 ア

恩人（おんじん） 恩(のある)↓人
腹背（ふくはい） 腹⇕背(中)
植樹（しょくじゅ） 植(える)↑樹(木を)
庁舎（ちょうしゃ） 庁(役所の)↓舎(建物)
認識（にんしき） どちらも「みわける」の意味。
帰郷（ききょう） 帰(る)↑郷(故郷に)
参拝（さんぱい） どちらも「おまいりする」の意味。
早熟（そうじゅく） 早(く)↓熟(す)
立腹（りっぷく） 立(てる)↑腹(を)
朝晩（あさばん） 朝⇕晩(夜)

(十) 同じ読みの漢字

各2点 計20点

グレーの部分は解答の補足です

1 (独)奏(曲)（どくそうきょく）
2 (車)窓（しゃそう）
3 垂(れ)（た）
4 絶(え)（た）
5 創(造)（そうぞう）
6 (地)層（ちそう）
7 尊(重)（そんちょう）
8 損(失)（そんしつ）
9 (公)私（こうし）
10 (雑)誌（ざっし）

1「独奏曲（どくそうきょく）」は、独りで演奏する楽曲のこと。

5「創造（そうぞう）」は、何か物事をつくりあげること。

(十一) 漢字

各2点 計40点

グレーの部分は送りがなです

1 食券（しょっけん）
2 簡略（かんりゃく）
3 延(ばす)（の）
4 発揮（はっき）
5 貴重品（きちょうひん）
6 沿(った)（そ）
7 吸収（きゅうしゅう）
8 経済（けいざい）
9 我（われ）
10 視界（しかい）
11 灰色（はいいろ）
12 危険（きけん）
13 刻(み)（きざ）
14 映(って)（うつ）
15 容疑（ようぎ）
16 臨時（りんじ）
17 縦（たて）
18 敬(う)（うやま）
19 生卵（なまたまご）
20 棒（ぼう）

2「簡略（かんりゃく）」は、手軽で簡単なこと。

15「容疑（ようぎ）」は、何らかの罪を犯した疑いがかかること。

20「犬（いぬ）も歩（ある）けば棒（ぼう）に当（あ）たる」は、何事もやってみれば、思いがけず幸せや、思いがけぬ災難に巡（めぐ）り合うことのたとえ。

(一) 読み

各1点 計20点

グレーの部分は解答の補足です

1 こうてつ
2 ざっこく
3 ひじょうきん
4 ふ(り)
5 はりがね
6 ほねぐ(み)
7 とど(ける)
8 とくさく
9 べっさつ
10 いぐすり
11 じんじゅつ
12 こおう
13 よ(い)
14 さば(き)
15 いただ(く)
16 ろんぶん
17 やとう
18 わす(れて)
19 いた(い)
20 われ

11「医は仁術(いはじんじゅつ)」は、医術は単なる技術ではなく、人を治すことによって仁徳を施す(ほどこす)術であるという意味。

16「論文(ろんぶん)」は、学術的な研究成果について論理的に書かれた文章。

17「野党(やとう)」は、現在、政権を担当していない政党。これの反対は与党(よとう)。

(二) 部首と部首名

各1点 計10点

部首や部首名は解答の補足です

1 い 頁　2 コ おおがい
3 こ 衣　4 エ ころも
5 く 土　6 イ つちへん
7 あ 禾　8 カ のぎへん
9 か 冂　10 ケ どうがまえ けいがまえ まきがまえ

(三) 画数

各1点 計10点

1 6
2 15
3 4
4 13
5 6
6 16
7 12
8 15
9 12
10 14

(四) 漢字と送りがな

各2点 計10点

1 除(のぞ)く
2 垂(た)らす
3 洗(あら)う
4 染(そ)める
5 痛(いた)い

(五) 音と訓

各2点 計20点

1 エ 強気(つよキ)
2 ア 宗教(シュウキョウ)
3 ウ 巣箱(すばこ)
4 ア 腹筋(フッキン)
5 ア 書簡(ショカン)
6 イ 両手(リョウて)
7 エ 金具(かなグ)
8 ウ 逆夢(さかゆめ)
9 ア 採血(サイケツ)
10 ウ 首筋(くびすじ)

(六) 四字熟語

各2点 計20点

グレーの部分は解答の補足です

1 器楽合奏(きがくがっそう)
2 家庭訪問(かていほうもん)
3 死亡通知(しぼうつうち)
4 適者生存(てきしゃせいぞん)
5 階段教室(かいだんきょうしつ)
6 幕内力士(まくうちりきし)
7 反対同盟(はんたいどうめい)
8 聖人君子(せいじんくんし)
9 同時通訳(どうじつうやく)
10 郵便番号(ゆうびんばんごう)

複数の楽器で演奏を行うこと。

教師が生徒の家庭を訪問し親と面談すること。

ある人物が亡くなったという知らせのこと。

ある環境(かんきょう)に最も適した生物が生き残るという意味。

席が後ろに行くほど高くなる階段状になった教室のこと。

幕内以上の階級にある相撲(すもう)とりのこと。

ある物事に反対するもの同士で同じ行動をとるよう約束すること。

人格や行いが共に優れ(すぐれ)た理想的な人のこと。

他者が話す言葉をその場で通訳すること。

郵便を届けるための番号。

問題は本冊 P34~39

(七) 対義語・類義語

各2点 計20点

グレーの部分は問題の熟語です

1 定価（ていか）⇕時価（じか）
2 前進（ぜんしん）⇕後退（こうたい）
3 好機（こうき）⇕危機（きき）
4 安楽（あんらく）⇕困苦（こんく）
5 冷静（れいせい）⇕興奮（こうふん）
6 消息（しょうそく）＝音信（おんしん）
7 方法（ほうほう）＝手段（しゅだん）
8 家屋（かおく）＝住宅（じゅうたく）
9 同意（どうい）＝賛成（さんせい）
10 給料（きゅうりょう）＝賃金（ちんぎん）

1「時価（じか）」は、その時点での商品の値段のこと。

6「消息（しょうそく）」は、便り、手紙、知らせのこと。

6「音信（おんしん）」は、便り、訪（おとず）れ、手紙のこと。「いんしん」とも読む。

(八) 熟語作り

各2点 計10点

1 イ コ 頂点（ちょうてん）
2 エ ア 風潮（ふうちょう）
3 キ ケ 回覧（かいらん）
4 ウ オ 誤報（ごほう）
5 ク カ 検討（けんとう）

(九) 熟語の構成

各2点 計20点

1 イ
2 エ
3 エ
4 ウ
5 ア
6 ウ
7 ア
8 イ
9 ウ
10 イ

批評（ひひょう） どちらも「よしあしを判断する」の意味。
従事（じゅうじ） 従（たずさわる）⬆事（仕事に）
就職（しゅうしょく） 就（つ）（く）⬆職（に）
難題（なんだい） 難（しい）⬇問（題）
可否（かひ） 可（それでよい）⬍否（同意しない）
誠意（せいい） 誠（真心の）⬇意（気持ち）
開閉（かいへい） 開（く）⬍閉（まる）
展示（てんじ） どちらも「みせる」の意味。
班長（はんちょう） 班（の）⬇長（いちばん上の地位）
補助（ほじょ） どちらも「たすける」の意味。

(十) 同じ読みの漢字

各2点 計20点

グレーの部分は解答の補足です

1 片（かた）（道（みち））
2 型（かた）（紙（がみ））
3 （入場（にゅうじょう））券（けん）
4 権（けん）（利（り））
5 （寒（かん））暖（だん）
6 断（だん）（続（ぞく））
7 経（けい）（営（えい））
8 警（けい）（官（かん））
9 （地（ち））層（そう）
10 装（そう）（備（び））

6「断続（だんぞく）」は、とぎれたり続いたりすること。

(十一) 漢字

各2点 計40点

グレーの部分は送りがなです

1 強敵（きょうてき）
2 系統（けいとう）
3 割安（わりやす）
4 激（はげ）（しい）
5 株主（かぶぬし）
6 劇場（げきじょう）
7 干（ほ）（し）
8 自供（じきょう）
9 巻（ま）（く）
10 度胸（どきょう）
11 枚数（まいすう）
12 机（つくえ）
13 疑（うたが）（い）
14 吸（す）（い）
15 無視（むし）
16 星座（せいざ）
17 傷（きず）（つき）
18 敬老（けいろう）
19 鉄棒（てつぼう）
20 宝（たから）

2「系統立（けいとうだ）てて」は、物事を一定の原理・原則に従って整理すること。

10「度胸（どきょう）」は、物事を恐（おそ）れない心のこと。肝（きも）っ玉。

20「正直（しょうじき）は一生（いっしょう）の宝（たから）」は、人間の幸福は正直からくるものなので、一生をかけて守る大切な宝であるということ。

(一) 読み

各1点 計20点

グレーの部分は解答の補足です

1 しりょく
2 さくし
3 ざっし
4 じき
5 かいこ
6 いた(った)
7 わたくし・わたし
8 すがた
9 しゃくはち
10 どひょう
11 い(る)
12 す(てる)
13 わかがえ(り)
14 ぶんたん
15 かいそう
16 ちゅうこく
17 たんじょう
18 さが(し)
19 あたた(まる)
20 せなか

4「磁器(じき)」は、白く半透明(とうめい)で堅(かた)い焼き物のこと。たたくと金属のような音がする。

5「蚕(かいこ)」は、ガの一種で、桑(くわ)の葉を餌(えさ)にする。さなぎになるために作る繭(まゆ)から絹がとれる。

9「尺八(しゃくはち)」は、竹で出来た縦笛の一種。標準の長さが一尺八寸であることから尺八の名がついた。

(二) 部首と部首名

各1点 計10点

部首や部首名は解答の補足です

1 こ 禾　2 キ のぎへん
3 く 女　4 ウ おんな
5 か 石　6 カ いしへん
7 お 見　8 ケ みる
9 あ 寸　10 イ すん

(三) 画数

各1点 計10点

1 9
2 10
3 3
4 10
5 9
6 11
7 5
8 8
9 3
10 5

(四) 漢字と送りがな

各2点 計10点

1 退(しりぞ)ける
2 危(あぶ)ない
3 閉(と)じる
4 補(おぎな)う
5 暮(く)れる

(五) 音と訓

各2点 計20点

1 ウ 生卵(なまたまご)
2 イ 新顔(シンがお)
3 ア 銭湯(セントウ)
4 ア 誠実(セイジツ)
5 イ 客間(キャクま)
6 ア 解答(カイトウ)
7 ウ 巻紙(まきがみ)
8 エ 関所(せきショ)
9 ウ 割高(わりだか)
10 ア 郵便(ユウビン)

(六) 四字熟語

各2点 計20点

グレーの部分は解答の補足です

1 成績優良(せいせきゆうりょう)
2 幼年時代(ようねんじだい)
3 食欲増進(しょくよくぞうしん)
4 一心不乱(いっしんふらん)
5 遊覧飛行(ゆうらんひこう)
6 宗教戦争(しゅうきょうせんそう)
7 法律改正(ほうりつかいせい)
8 臨時停車(りんじていしゃ)
9 明朗快活(めいろうかいかつ)
10 論説委員(ろんせついいん)

学業などの成績が素晴らしく良いこと。

人生のうち、幼い頃(ころ)のこと。

食欲が増すこと。

ひとつのことに集中して雑念が起こらないこと。

上空から見物するために空を飛ぶこと。

宗教が原因で起こった争いのこと。

法律の不適切な部分などを改めること。

通常はとまらない場所に電車などの乗り物がとまること。

明るく元気で朗(ほが)らかな様子。

新聞社などで、会社の主張として載(の)せる意見を書く記者のこと。

問題は本冊 P40~45

(七) 対義語・類義語

各2点 計20点

グレーの部分は問題の熟語です

1 理想（りそう）⇕現実（げんじつ）
2 起立（きりつ）⇕着席（ちゃくせき）
3 複雑（ふくざつ）⇕単純（たんじゅん）
4 退職（たいしょく）⇕就職（しゅうしょく）
5 今後（こんご）⇕従来（じゅうらい）
6 同意（どうい）＝承知（しょうち）
7 真心（まごころ）＝誠意（せいい）
8 奮戦（ふんせん）＝善戦（ぜんせん）
9 重視（じゅうし）＝尊重（そんちょう）
10 順番（じゅんばん）＝段階（だんかい）

5「従来（じゅうらい）」は、これまでの意味。また、以前から今までの意味。

8「奮戦（ふんせん）」は、力いっぱい戦うこと。

8「善戦（ぜんせん）」は、力を出してよく戦うこと。

(八) 熟語作り

各2点 計10点

1 キエ 否定（ひてい）
2 ケイ 納付（のうふ）
3 コア 派生（はせい）
4 クカ 拝観（はいかん）
5 オウ 晩年（ばんねん）

(九) 熟語の構成

各2点 計20点

1 イ
2 ア
3 ウ
4 ウ
5 エ
6 ウ
7 エ
8 イ
9 エ
10 ア

秘密（ひみつ） どちらも「かくす」の意味。
問答（もんどう） 問（い）⬍答（え）
灰色（はいいろ） 灰（の）⬇色
異国（いこく） 異（なる）⬇国。「外国」の意味。
訪米（ほうべい） 訪（問する）⬆米（アメリカを）
軽傷（けいしょう） 軽（い）⬇傷
養蚕（ようさん） 養（育てる）⬆蚕（を）
盟約（めいやく） どちらも「やくそく」の意味。
討幕（とうばく） 討（つ）⬆幕（府を）
明暗（めいあん） 明（るい）⬍暗（い）

(十) 同じ読みの漢字

各2点 計20点

グレーの部分は解答の補足です

1 腹（はら）
2 原（はら）
3 耕（こう）（運機（うんき））
4 講（こう）（演（えん））
5 展（てん）（示（じ））
6 （辞（じ））典（てん）
7 （政（せい））党（とう）
8 統（とう）（一（いつ））
9 （対（たい））策（さく）
10 昨（さく）（夜（や））

4「講演（こうえん）」は、大勢の人を相手にある話題について話をすること。

(十一) 漢字

各2点 計40点

グレーの部分は送りがなです

1 選挙権（せんきょけん）
2 胃（い）
3 自己（じこ）
4 皇后（こうごう）
5 親不孝（おやふこう）
6 供（そな）（え）
7 胸（むね）
8 勤（つと）（め）
9 窓（まど）
10 筋（すじ）（書（が）き）
11 敬（うやま）（う）
12 資源（しげん）
13 厳守（げんしゅ）
14 激（はげ）（しく）
15 点呼（てんこ）
16 盛（も）（り）
17 紅梅（こうばい）
18 垂（た）（れる）
19 誤差（ごさ）
20 穴（あな）

7「胸（むね）がすく」は、心が晴れやかになること。心がすっとする様子のこと。

10「筋書（すじが）き」は、もくろみ。計画。

15「点呼（てんこ）」は、一人一人の名前を呼んで全員がそろっているか確認すること。

20「穴（あな）があれば入（はい）りたい」は、身を隠（かく）したいほどの恥（は）ずかしい気持ちのこと。

(一) 読み

各1点 計20点

グレーの部分は解答の補足です

1 じゅりん
2 しゅうきょう
3 しゅうこう
4 みんしゅう
5 おさ(めた)
6 したが(って)
7 たて
8 うめぼ(し)
9 しんぞう
10 じゅんしん

11 まどべ
12 わす(れる)
13 しょぶん
14 むずか(しい)
15 ちち
16 どくそう
17 せんとう
18 へんそう
19 うちわけ
20 とうと・たっと(き)

3「就航」は、船や飛行機などが初めて航路につくこと。
10「純真」は、清らかで汚れのないこと。
16「独奏」は、一人で楽器の演奏をすること。
18「変装」は、別人に見えるよう服装などを変えて、他人の目を欺くこと。

(二) 部首と部首名

各1点 計10点

部首や部首名は解答の補足です

1 お 貝
2 ケ かい こがい
3 こ 見
4 エ みる
5 え 木
6 ア きへん
7 く 尢
8 イ だいのまげあし
9 か 血
10 カ ち

(三) 画数

各1点 計10点

1 6
2 8
3 7
4 11
5 5
6 8
7 3
8 10
9 11
10 14

(四) 漢字と送りがな

各2点 計10点

1 退く
2 勤める
3 拝む
4 訪ねる
5 激しい

(五) 音と訓

各2点 計20点

1 エ 係員
2 ア 権利
3 ウ 身元
4 イ 旧型
5 ア 警告
6 エ 値段
7 ウ 軽口
8 ウ 穴場
9 イ 新芽
10 ア 劇場

(六) 四字熟語

各2点 計20点

グレーの部分は解答の補足です

1 大同小異
2 世界遺産
3 地域社会
4 気宇広大
5 映写技師
6 平和宣言
7 沿岸漁業
8 拡張工事
9 危急存亡
10 閣議決定

1 少しは違っていても、だいたいは同じであること。
2 昔の人が残した価値のある遺跡・景観・自然など。
3 一定の地域に成立している人びとの集まり。
4 心構えが広くて立派なこと。「気宇壮大」ともいう。
5 写真や映画などをスクリーンに映す技術者のこと。
6 平和の誓いを外部に表明すること。
7 海岸近くの海で行われる漁業。
8 広げて大きくする工事。
9 生きるか死ぬかの重大な瀬戸際のこと。
10 国の政治上の重要なことについて、政府の方針について内閣が決定すること。

問題は本冊P46~51

(七) 対義語・類義語

各2点 計20点

グレーの部分は問題の熟語です

1 入院⇔退院
2 減少⇔増加
3 老年⇔幼年
4 延長⇔短縮
5 尊重⇔無視
6 状態＝様子
7 精読＝熟読
8 帰省＝帰郷
9 見事＝立派
10 進歩＝発展

3「老年」は、老人になっている年ごろのこと。

5「尊重」は、価値を認めて、大切にすること。

7「精読」は、細かなところまで丁寧に読むこと。

(八) 熟語作り

各2点 計10点

1 キ エ 安否
2 オ ケ 批判
3 コ ア 秘境
4 ウ イ 奮戦
5 ク カ 尺度

(九) 熟語の構成

各2点 計20点

1 ア
2 ウ
3 ア
4 イ
5 エ
6 ウ
7 イ
8 イ
9 エ
10 ア

乗降 乗(る)⇕降(りる)
翌週 翌(その次の)↓週
干満 干(潮)⇕満(潮) 潮の満ち引きのこと。
優良 どちらも「すぐれている」の意味。
退職 退(く)↑職(を)
再会 再(び)↓会(う)
並列 どちらも「ならべる」の意味。
拝礼 どちらも「おじぎをすること」の意味。
洗面 洗(う)↑面(顔を)
裏表 裏⇕表

(十) 同じ読みの漢字

各2点 計20点

グレーの部分は解答の補足です

1 (市)
2 (干)潮
3 (強)敵
4 適(切)
5 納(めた)
6 治(める)
7 (負)傷
8 承(知)
9 季(節)
10 (指)揮

1 庁(舎)

1「市庁舎」は、市の行政機関が入居する建物のこと。

2「干潮」は、潮が引き海面が最も低い状態。

(土) 漢字

各2点 計40点

グレーの部分は送りがなです

1 胃腸
2 深刻
3 絹糸
4 片方
5 源
6 対策
7 三冊
8 呼(び)
9 専念
10 和裁
11 穀物
12 口紅
13 鉄骨
14 厳(しい)
15 故障
16 砂(浜)
17 暮(らして)
18 預(かる)
19 班長
20 誤(り)

2「深刻」は、物事の成り行きが差し迫って重大な様子。

9「専念」は、心を一つの事に集中すること。そのことだけを行うこと。

20「弘法にも筆の誤り」は、弘法大師のような書の達人でも書き間違えることがあること。名人でも失敗することがあるということ。

(一) 読み

各1点 計20点

グレーの部分は解答の補足です

1 ぜいむしょ
2 しょとう
3 しゅしょう
4 ほしょう
5 のぞ(く)
6 きず
7 しりぞ(ける)
8 はりしごと
9 じょうりゅう
10 じんぎ
11 すいり
12 すんだん
13 われ
14 も(る)
15 いずみ
16 あら(った)
17 そ(まる)
18 せいしょ
19 せいい
20 わかば

9「蒸留(じょうりゅう)」は、液体を沸騰(ふっとう)させて出来た水蒸気を冷やし、再び液体に戻(もど)すこと。二種類以上の液体が混ざっている場合、沸騰する温度の違(ちが)いを利用して分けることができる。

10「仁義(じんぎ)」は、ここでは人として行うべき道のこと。

11「推理(すいり)」は、わかっていることをもとに、わからないことを推(お)し量ること。

19「誠意(せいい)」は、真心のこと。

(二) 部首と部首名

各1点 計10点

部首や部首名は解答の補足です

1 か 辶　2 オ しんにょう しんにゅう
3 こ 阝　4 カ こざとへん
5 お 寸　6 イ すん
7 き 艹　8 ケ くさかんむり
9 け 罒　10 ア あみがしら あみめ よこめ

(三) 画数

各1点 計10点

1 1　2 4　3 9　4 15　5 11
6 12　7 13　8 18　9 9　10 12

(四) 漢字と送りがな

各2点 計10点

1 探(さが)す
2 難(むずか)しい
3 乱(みだ)れる
4 痛(いた)む
5 届(とど)く

(五) 音と訓

各2点 計20点

1 イ 王様(オウさま)
2 エ 場所(ばショ)
3 ウ 街角(まちかど)
4 ア 胃酸(イサン)
5 イ 別口(ベツくち)
6 ア 異議(イギ)
7 ウ 雨雲(あまぐも)
8 ウ 灰色(はいいろ)
9 ア 拡張(カクチョウ)
10 エ 横町(よこチョウ)

(六) 四字熟語

各2点 計20点

グレーの部分は解答の補足です

1 割引価格(わりびきかかく)
2 株式会社(かぶしきがいしゃ)
3 中央官庁(ちゅうおうかんちょう)
4 巻末付録(かんまつふろく)
5 天地創造(てんちそうぞう)
6 非常階段(ひじょうかいだん)
7 実力発揮(じつりょくはっき)
8 学習意欲(がくしゅういよく)
9 質疑応答(しつぎおうとう)
10 酸素吸入(さんそきゅうにゅう)

1 決まった金額よりも安くした値段のこと。
2 多くの人が元手のお金を出し合い、仕事をする会社。
3 国家を運営する中心にある機関のこと。
4 本や雑誌の一番最後についているおまけのこと。
5 創世神話の一種で、神がこの世を作り出す話。
6 火事や地震(しん)などの非常時の避難(ひ)に使う階段。
7 本当にもっている力を十分に表すこと。
8 進んで学ぼうとする気持ち。
9 質問とそれに対する答え。
10 呼吸が苦しいときなどに、酸素を吸わせること。

問題は本冊 P52~57

(七) 対義語・類義語

各2点 計20点

グレーの部分は問題の熟語です

1 形式（けいしき）⇕内容（ないよう）
2 前進（ぜんしん）⇕後退（こうたい）
3 横断（おうだん）⇕縦断（じゅうだん）
4 水平（すいへい）⇕垂直（すいちょく）
5 悪意（あくい）⇕善意（ぜんい）
6 衛生（えいせい）＝保健（ほけん）
7 解決（かいけつ）＝処理（しょり）
8 簡単（かんたん）＝単純（たんじゅん）
9 感心（かんしん）＝敬服（けいふく）
10 老年（ろうねん）＝晩年（ばんねん）

6「衛生」は、健康を保ち、より健康になるために、病気の予防や治療に努めること。

9「敬服」は、心から感心し、敬うこと。

(八) 熟語作り

各2点 計10点

1 エ ケ 来訪（らいほう）
2 コ ア 亡命（ぼうめい）
3 キ オ 模写（もしゃ）
4 ウ イ 密談（みつだん）
5 ク カ 和訳（わやく）

(九) 熟語の構成

各2点 計20点

1 エ
2 イ
3 ア
4 ウ
5 エ
6 エ
7 ウ
8 ア
9 ウ
10 イ

退席（たいせき） 退（く）⬆席（を）
映写（えいしゃ） どちらも「うつす」の意味。
異同（いどう） 異（なる）⬍同（じ）
絹地（きぬじ） 絹（で出来た）⬇地（布）
延期（えんき） 延（ばす）⬆期（日を）
登頂（とうちょう） 登（る）⬆頂（上に）
暖流（だんりゅう） 暖（かい）⬇流（れ）
保革（ほかく） 保（たもちまもる）⬍革（新しくする）
厳禁（げんきん） 厳（しく）⬇禁（じる）
負担（ふたん） どちらも「おう」の意味。

(十) 同じ読みの漢字

各2点 計20点

グレーの部分は解答の補足です

1 秘（ひ）（宝）（ほう）
2 否（ひ）（定）（てい）
3 暮（く）（れた）
4 組（く）（み）
5 （開）（かい）閉（へい）
6 兵（へい）（隊）（たい）
7 宣（せん）（伝）（でん）
8 専（せん）（用）（よう）
9 看（かん）（板）（ばん）
10 （習）（しゅう）慣（かん）

1「秘宝」は、めったに人に見せない宝物のこと。

5「開閉」は、開けたり閉じたりすること。

(土) 漢字

各2点 計40点

グレーの部分は送りがなです

1 預金（よきん）
2 机（づくえ）
3 視力（しりょく）
4 刻（きざ）（み）
5 作詞（さくし）
6 骨（ほね）
7 週刊誌（しゅうかんし）
8 困（こま）（った）
9 磁石（じしゃく）
10 砂山（すなやま）

---

11 尺度（しゃくど）
12 済（す）（ます）
13 養蚕（ようさん）
14 裁（さば）（く）
15 冬至（とうじ）
16 私（わたし）
17 値切（ねぎ）（って）
18 取捨（しゅしゃ）
19 反射（はんしゃ）
20 降（ふ）（って）

9「磁石」は、鉄を吸いつける特性をもつ物体のこと。

15「冬至」は、北半球において一年のうちで最も太陽が出ている時間が短い日のこと。

20「雨降って地固まる」は、もめごとが起こった後は、かえって良い結果になることのたとえ。

(一) 読み
各1点 計20点

グレーの部分は解答の補足です

1 すいしん
2 われ
3 でんしょう
4 たまご
5 すんだん
6 いかすい
7 こと(なる)
8 ほぞん
9 の(びた)
10 かいぜん
11 そ(って)
12 せんよう
13 せんきょうし
14 いただき
15 も(り)
16 ちゅうせい
17 そ(めて)
18 せいかだい
19 あら(い)
20 うら

1「推進(すいしん)」は、推(お)し進めること。

3「伝承(でんしょう)」は、ある集団でしきたりや伝説などを受け継(つ)ぐこと。また受け継がれてきたもののこと。

13「宣教師(せんきょうし)」は、宗教を広める人。

16「忠誠(ちゅうせい)」は、裏切ることなく、真心で尽(つ)くすこと。

18「聖火台(せいかだい)」は、オリンピックにおいて聖火を燃やし続ける台のこと。

(二) 部首と部首名
各1点 計10点

部首や部首名は解答の補足です

1 こ 月
2 カ にくづき
3 く 土
4 エ つち
5 け 口
6 イ くち
7 お 皿
8 ケ さら
9 い 耳
10 コ みみ

(三) 画数
各1点 計10点

1 4
2 10
3 4
4 13
5 13
6 16
7 5
8 12
9 3
10 10

(四) 漢字と送りがな
各2点 計10点

1 預(あず)かる
2 厳(きび)しい
3 閉(と)じる
4 誤(あやま)る
5 割(わ)れる

(五) 音と訓
各2点 計20点

1 イ 字(ジ)引(びき)
2 ウ 生(なま)傷(きず)
3 イ 図(ズ)星(ぼし)
4 エ 古(ふる)本(ホン)
5 エ 指(さし)図(ズ)
6 ア 雑(ザッ)誌(シ)
7 ウ 指(ゆび)輪(わ)
8 ウ 野(の)原(はら)
9 ア 磁(ジ)石(シャク)
10 ア 急(キュウ)病(ビョウ)

(六) 四字熟語
各2点 計20点

グレーの部分は解答の補足です

1 名著復刊(めいちょふっかん)
2 物資供給(ぶっしきょうきゅう)
3 敬老精神(けいろうせいしん)
4 負担軽減(ふたんけいげん)
5 信号無視(しんごうむし)
6 郷土料理(きょうどりょうり)
7 喜劇役者(きげきやくしゃ)
8 一刻千金(いっこくせんきん)
9 過激思想(かげきしそう)
10 鉄筋住宅(てっきんじゅうたく)

優(すぐ)れた著書が再び発刊されること。

必要に応じて物資を分け与(あた)えること。

老人を敬う気持ちのこと。

責任や仕事を減らすこと。

信号機の指示通りに通行しないこと。

その地域に根付いた物を使って作った料理のこと。

喜劇を演じる俳優のこと。

少しの時間が千金(非常に価値の高いこと)にも値(あたい)するということ。

自らの主義・主張のためなら過激な行動も辞さない主張のこと。

鉄を骨格として造った家のこと。

問題は本冊 P58~63

(七) 対義語・類義語

各2点 計20点

グレーの部分は問題の熟語です

1 好意⇔敵意
2 用心⇔油断
3 中断⇔持続
4 受動⇔能動
5 精読⇔乱読
6 規則＝規律
7 上等＝優良
8 関心＝興味
9 明日＝翌日
10 質素＝簡素

4「受動」は、受け身のこと。

4「能動」は、自分から働きかけること。

5「精読」は、丁寧に読むこと。

5「乱読」は、手あたり次第に読むこと。

(八) 熟語作り

各2点 計10点

1 オ キ 臨終
2 ケ イ 策略
3 ク ウ 仏閣
4 カ エ 朗報
5 コ ア 支障

(九) 熟語の構成

各2点 計20点

1 イ
2 ウ
3 ウ
4 ウ
5 エ
6 イ
7 ア
8 ア
9 ア
10 エ

思想 どちらも「おもう」の意味。
地層 地(面が)↓層(上下に重なっている)
歌詞 歌(の)↓詞(ことば)
異国 異(なる)↓国。「外国」の意味。
除草 除(く)↑草(を)
児童 どちらも「おさないこども」の意味。
授受 授(さずける)⇕受(うけとる)
寒暖 寒(い)⇕暖(かい)
功罪 功(てがら)⇕罪(つみ)
始業 始(める)↑業(仕事を)

(十) 同じ読みの漢字

各2点 計20点

グレーの部分は解答の補足です

1 値
2 根
3 (新)約
4 (通)訳
5 迷(路)
6 (加)盟
7 郵(便)
8 優(先)
9 (希)望
10 (死)亡

4「通訳」は、言葉が異なる人の間にたち、意思疎通が図れるようにすること。また、そのようにする人のこと。

(土) 漢字

各2点 計40点

グレーの部分は送りがなです

1 私
2 片
3 就職
4 蚕
5 若(く)
6 腹
7 至(れり)
8 処方
9 姿見
10 未熟
11 射(た)
12 縮小
13 従順
14 捨(てた)
15 縦横
16 大衆
17 果樹園
18 純度
19 収(めた)
20 恩

11「的を射た発言」は、うまく要点をつかんだ発言のこと。

16「大衆」は、多くの人のこと。特に労働者などのこと。

20「子を持って知る親の恩」は、自分が子供を持つ親の立場になって初めて親のありがたみがわかるということ。

問題は本冊 P64~69

(一) 読み

各1点 計20点

グレーの部分は解答の補足です

1 とど(ける)
2 つくえ
3 なみ
4 そうしゃじょう
5 ほ(し)
6 えんそう
7 せいぞん
8 おんし
9 わりあい
10 ぞうもつ

11 かいそう
12 うたが(い)
13 はんべつ
14 す(い)
15 そうぎょう
16 どうそうせい
17 あぶ(なっかしい)
18 ま(き)
19 かぶ
20 じぞうそん

7「生存(せいぞん)」は、生きていくこと。
10「臓物(ぞうもつ)」の「物」の読み方に注意。
15「創業(そうぎょう)」は、事業を始めること。

(二) 部首と部首名

各1点 計10点

部首や部首名は解答の補足です

1 く 子　2 コ こ
3 き 穴　4 イ あなかんむり
5 こ 寸　6 ウ すん
7 え 大　8 カ だい
9 あ 衣　10 エ ころも

(三) 画数

各1点 計10点

1 6
2 13
3 6
4 11
5 4
6 12
7 6
8 7
9 3
10 10

(四) 漢字と送りがな

各2点 計10点

1 供(そな)える
2 刻(きざ)む
3 捨(す)てる
4 認(みと)める
5 暖(あたた)かい

(五) 音と訓

各2点 計20点

1 エ 酒代(さかダイ)
2 ウ 若者(わかもの)
3 ア 清純(セイジュン)
4 エ 宿賃(やどチン)
5 ウ 縦笛(たてぶえ)
6 イ 敵方(テキがた)
7 ア 政党(セイトウ)
8 エ 手順(てジュン)
9 イ 絵心(エごころ)
10 ア 熟語(ジュクゴ)

(六) 四字熟語

各2点 計20点

グレーの部分は解答の補足です

1 呼吸困難(こきゅうこんなん)
2 主権在民(しゅけんざいみん)
3 通学区域(つうがくくいき)
4 児童憲章(じどうけんしょう)
5 宣戦布告(せんせんふこく)
6 観光資源(かんこうしげん)
7 絹織物業(きぬおりものぎょう)
8 時間厳守(じかんげんしゅ)
9 政治討論(せいじとうろん)
10 自己満足(じこまんぞく)

息を吸ったり吐(は)いたりすることが難しいこと。
国の政治の在り方を決める権力が国民にあること。
その学校に通う生徒の住む区域。
全ての児童の幸福を守るための決まり。
ある国が別の国に対して戦争を行うことを宣言すること。
観光客を集めるために必要な名所や温泉などのこと。
絹で出来た布を扱(あつか)う業種のこと。
決められた時間を厳しく守ること。
政治に関して意見を述べ合うこと。
自分の行いなどを、自分独りで満足すること。

(七) 対義語・類義語 各2点 計20点

グレーの部分は問題の熟語です

1 勝利⇔敗北
2 往復⇔片道
3 可決⇔否決
4 原本⇔訳本
5 冷静⇔興奮
6 引退＝辞任
7 運送＝運輸
8 図案＝模様
9 加入＝加盟
10 早急＝至急

3「可決」は、よいと認めて決めること。

3「否決」は、認めないと決めること。

4「原本」は、もとになる書物や文書のこと。

(八) 熟語作り 各2点 計10点

1 コ ア 沿革
2 イ ケ 延焼
3 カ エ 遺失
4 ク オ 映像
5 ウ キ 異聞

(九) 熟語の構成 各2点 計20点

1 イ
2 ア
3 イ
4 ウ
5 エ
6 ア
7 ア
8 ウ
9 イ
10 エ

樹木 どちらも「木」の意味。
縦横 縦↔横
連続 どちらも「つづく」の意味。
灰色 灰(の)↓色
退場 退(く)↑場(を)
開閉 開(く)↔閉(まる)
強弱 強(い)↔弱(い)
純金 純(まじりけのない)↓金
居住 どちらも「すむ」の意味。
就職 就(つく)↑職(に)

(十) 同じ読みの漢字 各2点 計20点

グレーの部分は解答の補足です

1 (胃)腸
2 頂(上)
3 新(た)
4 洗(った)
5 (確)率
6 (規)律
7 基(本)
8 (発)揮
9 簡(潔)
10 完(成)

6「規律」は、集団生活を送る上での決まりのこと。

9「簡潔」は、簡単で無駄なくまとまっていること。

(十一) 漢字 各2点 計40点

グレーの部分は送りがなです

1 宝物
2 障子
3 訪(ねた)
4 銭
5 誤(った)
6 蒸気
7 縮(んだ)
8 短針
9 乳
10 忘(れ)
11 暮(れ)
12 糖
13 将来
14 署名
15 傷(ついた)
16 肺
17 看板
18 晴朗
19 除(いた)
20 従(え)

6「蒸気」は、液体が蒸発することで出来る気体のこと。特に水蒸気のこと。

8「短針」は、時計の短い方の針のこと。

14「署名」は、自分の名を書き記すこと。

20「老いては子に従え」は、年をとったならば、意地を張らずに子に従うほうがよいということ。

5級 第11回 テスト 解答・解説

問題は本冊P70～75

(一) 読み

各1点 計20点

グレーの部分は解答の補足です

1 わけ
2 こうたいごう
3 かち
4 こめだわら
5 うちゅう
6 せいたん
7 つと(める)
8 ちょしゃ
9 かざんばい
10 きしょうちょう
11 むね
12 べつだん
13 はげ(しい)
14 あたた(かかった)
15 じたく
16 とも
17 たんにん
18 あなご
19 たからさが(し)
20 こうこう

1「訳知り顔(わけしりがお)」は、事情を知っていることを得意そうにしている様子のこと。

3「価値(かち)」は、値打ちのこと。

12「別段(べつだん)」は、通常とは特に異なること。また、打消しの言葉を伴って(ともなって)、とりたてて言うほどではないこと。

16「供(とも)」は、主人や目上の人に付き従う人のこと。

18「穴子(あなご)」は、アナゴ科の魚のこと。

(二) 部首と部首名

各1点 計10点

部首や部首名は解答の補足です

1 ウ 亻　2 ク にんべん
3 ク 殳　4 カ るまた／ほこづくり
5 エ 心　6 キ こころ
7 カ 艹　8 ケ くさかんむり
9 イ 頁　10 オ おおがい

(三) 画数

各1点 計10点

1 11
2 13
3 3
4 10
5 10
6 14
7 7
8 8
9 7
10 9

(四) 漢字と送りがな

各2点 計10点

1 延(の)びる
2 従(したが)う
3 危(あぶ)ない
4 縮(ちぢ)む
5 敬(うやま)う

(五) 音と訓

各2点 計20点

1 イ 先手(センて)
2 エ 身分(みブン)
3 ウ 若草(わかくさ)
4 イ 職場(ショクば)
5 ア 蒸発(ジョウハツ)
6 ア 署名(ショメイ)
7 ウ 花火(はなび)
8 エ 塩気(しおケ)
9 ア 例外(レイガイ)
10 ウ 真夏(まなつ)

(六) 四字熟語

各2点 計20点

グレーの部分は解答の補足です

1 砂防設備(さぼうせつび)
2 降雨情報(こううじょうほう)
3 口座開設(こうざかいせつ)
4 出発時刻(しゅっぱつじこく)
5 難民救済(なんみんきゅうさい)
6 穀物倉庫(こくもつそうこ)
7 腹式呼吸(ふくしきこきゅう)
8 自己反省(じこはんせい)
9 別冊付録(べっさつふろく)
10 災害対策(さいがいたいさく)

1 砂を防ぐための設備のこと。
2 雨が降る情報のこと。
3 銀行などでお金を預かってもらうための口座をつくること。
4 電車などが出発する時間のこと。
5 戦争などのために国から離(はな)れざるをえなかった人を助けること。
6 農産物の保管を目的とした倉庫。
7 腹筋を使って行う呼吸のこと。
8 自分自身に注意を向けて、問題を解決するために考えること。
9 本や雑誌などで、本体とは別になっている付録のこと。
10 災害予防や災害への対応をするための方法。

(七) 対義語・類義語

各2点 計20点

グレーの部分は問題の熟語です

1 進化⇔退化
2 散在⇔密集
3 出生⇔死亡
4 辞任⇔就任
5 連続⇔断続
6 展望＝視界
7 基準＝尺度
8 序列＝順序
9 構造＝組織
10 注意＝警告

2「散在」は、ばらばらにあること。

2「密集」は、ぎっしりと集まっていること。

5「断続」は、途切れたり続いたりすること。

(八) 熟語作り

各2点 計10点

1 エ キ 貴重
2 コ ウ 巻頭
3 ケ ク 干潮
4 カ イ 発揮
5 オ ア 疑問

(九) 熟語の構成

各2点 計20点

1 イ
2 ア
3 エ
4 ウ
5 エ
6 イ
7 ウ
8 ウ
9 ウ
10 ア

賞賛 どちらも「ほめる」の意味。
男女 男⇕女
除草 除(く)⬆草(を)
諸国 諸(もろもろの)⬇国
消火 消(す)⬆火(を)
救助 どちらも「たすける」の意味。
視力 視(見る目の)⬇力(能力)
土蔵 土(でできた)⬇蔵
激減 激(しく)⬇減(る)
寒暑 寒(い)⇕暑(い)

(十) 同じ読みの漢字

各2点 計20点

グレーの部分は解答の補足です

1 写(した)
2 映(る)
3 装(置)
4 (成)層(圏)
5 預(金)
6 余(計)
7 格(式)
8 拡(張)
9 障(害)
10 承(認)

4「成層圏」は、地球を取り囲んでいる空気の層の一種。

7「格式」は、身分や家柄によって決まっている礼儀作法のこと。

(土) 漢字

各2点 計40点

グレーの部分は送りがなです

1 片方
2 幼(い)
3 傷
4 乱(れ)
5 舌
6 卵
7 針
8 裏方
9 最善
10 泉
11 垂直
12 専念
13 推進
14 洗(う)
15 原寸
16 聖母
17 誠実
18 宣教
19 内閣
20 食欲

8「裏方」は、表立たないところで働く人。

15「原寸」は、実物と同じ寸法のこと。

16「聖母」は、イエスの母マリアのこと。また、人格に優れた女性に贈られることば。

20「食欲の秋」は、秋は旬の食材が豊富な季節で食欲をそそられること。

(一) 読み

各1点 計20点

グレーの部分は解答の補足です

1 しりぞ(いた)
2 じょうそう
3 さんさく
4 きぬ
5 とうろんかい
6 ひょうそう
7 りゅういき
8 みなもと
9 いただき
10 とうぶん
11 いた(める)
12 きび(しく)
13 かそう
14 ふなちん
15 よ(び)
16 しお
17 にゅうはくしょく
18 あやま(り)
19 しんぞう
20 す(て)

2「情操教育(じょうそうきょういく)」は、感情などの豊かな心を健全に育成することを目的とする教育。

3「散策(さんさく)」は、散歩と同じ意味。

6「表層(ひょうそう)」は、表面の層のこと。上辺のこと。

9「頂(いただき)」は、てっぺんのこと。

(二) 部首と部首名

各1点 計10点

部首や部首名は解答の補足です

1 こ 儿
2 ア ひとあし にんにょう
3 お 土
4 コ つちへん
5 か 乚
6 ウ おつ
7 く 疒
8 カ やまいだれ
9 い 隹
10 オ ふるとり

(三) 画数

各1点 計10点

1 10
2 13
3 6
4 8
5 15
6 15
7 4
8 10
9 5
10 9

(四) 漢字と送りがな

各2点 計10点

1 拝(おが)む
2 幼(おさな)い
3 納(おさ)める
4 並(なら)べる
5 認(みと)める

(五) 音と訓

各2点 計20点

1 ア 引退(インタイ)
2 イ 番組(バンぐみ)
3 ア 聖火(セイカ)
4 ウ 船旅(ふなたび)
5 ア 宣伝(センデン)
6 ウ 西側(にしがわ)
7 ウ 夕日(ゆうひ)
8 イ 正札(ショウふだ)
9 エ 砂絵(すなエ)
10 エ 布地(ぬのジ)

(六) 四字熟語

各2点 計20点

グレーの部分は解答の補足です

1 一進一退(いっしんいったい)
2 至上命令(しじょうめいれい)
3 郵便配達(ゆうびんはいたつ)
4 公私混同(こうしこんどう)
5 直射日光(ちょくしゃにっこう)
6 技術革新(ぎじゅつかくしん)
7 大雨警報(おおあめけいほう)
8 視察旅行(しさつりょこう)
9 親善試合(しんぜんじあい)
10 形容動詞(けいようどうし)

進んだり後戻(もど)りしたりすること。

絶対に従わなければならない命令。

手紙や小包みなどを配り届けること。

仕事などの公的なことに私的な事情をもちこみ、公私のけじめをつけないこと。

じかに照らす太陽の光。

生産技術を大きく改めて新しくすること。

大雨による大災害が予想される場合に出される警報のこと。

その場の状況(きょう)を見極(きわ)めるために行う旅行のこと。

友好を深めるための試合。

用言の一種で、形容詞のような意味をもちつつ動詞のような活用をする言葉のこと。

問題は本冊 P76~81

(七) 対義語・類義語

各2点 計20点

グレーの部分は問題の熟語です

1 公開(こうかい)⇔秘密(ひみつ)
2 定例(ていれい)⇔臨時(りんじ)
3 悲報(ひほう)⇔朗報(ろうほう)
4 公海(こうかい)⇔領海(りょうかい)
5 誕生(たんじょう)⇔死亡(しぼう)
6 始末(しまつ)＝処理(しょり)
7 未来(みらい)＝将来(しょうらい)
8 同志(どうし)＝盟友(めいゆう)
9 結束(けっそく)＝団結(だんけつ)
10 教示(きょうじ)＝指導(しどう)

2「臨時(りんじ)」は、定期的なものでないこと。一時的であること。

8「同志(どうし)」は、主義を同じくする人。

8「盟友(めいゆう)」は、同じ目的のために誓(ちか)いあった友のこと。

(八) 熟語作り

各2点 計10点

1 カ キ 激務(げきむ)
2 エ ク 郷里(きょうり)
3 コ イ 系統(けいとう)
4 ケ ア 度胸(どきょう)
5 オ ウ 穴場(あなば)

(九) 熟語の構成

各2点 計20点

1 イ
2 ア
3 ウ
4 エ
5 エ
6 イ
7 エ
8 イ
9 ア
10 ウ

戦争(せんそう) どちらも「あらそう」の意味。
前後(ぜんご) 前⇔後(ろ)
品質(ひんしつ) 品(物の)↓質
育児(いくじ) 育(てる)↑児(子どもを)
挙式(きょしき) 挙(げる)↑式(を)
建築(けんちく) どちらも「たてる」の意味。
立腹(りっぷく) 立(てる)↑腹(を)
時刻(じこく) どちらも「とき」の意味。
東西(とうざい) 東⇔西
諸国(しょこく) 諸(もろもろの)↓国

(十) 同じ読みの漢字

各2点 計20点

グレーの部分は解答の補足です

1 供(そな)(える)
2 備(そな)(えて)
3 貴(き)(重)(ちょう)
4 危(き)(機)(き)
5 (土)(ど)俵(ひょう)
6 評(ひょう)(価)(か)
7 (合)(がっ)衆(しゅう)(国)(こく)
8 (吸)(きゅう)収(しゅう)
9 確(かく)(認)(にん)
10 革(かく)(新)(しん)

4「危機(きき)」は、よくない結果を招くかもしれない危険な状態のこと。

10「革新(かくしん)」は、組織や制度などを変えて新しい物にすること。

(十一) 漢字

各2点 計40点

グレーの部分は送りがなです

1 洗(あら)(い)
2 垂(た)(れる)
3 異(こと)(なる)
4 盛(も)(り)
5 映(うつ)(った)
6 温泉(おんせん)
7 染(そ)(め)
8 演奏(えんそう)
9 愛蔵(あいぞう)
10 創刊(そうかん)
11 延(の)(べ)
12 簡単(かんたん)
13 難(むずか)(しい)
14 遺伝(いでん)
15 温存(おんぞん)
16 展望(てんぼう)
17 尊大(そんだい)
18 我(われ)
19 沿(そ)(って)
20 舌(した)

1「洗(あら)いざらい」は、残らず全部。すっかり。

9「愛蔵(あいぞう)」は、好きで、大切にしまっておくこと。

11「延(の)べ」は、同じ物や人が重なっていてもそれぞれを一つとして数え、合計したもの。

20「舌(した)はわざわいの根(ね)」は、言葉は災(わざわ)いの元となるため、つつしめといういましめ。

問題は本冊 P82~87

(一) 読み

各1点 計20点

グレーの部分は解答の補足です

1 じた
2 せいい
3 さんぱい
4 すなば
5 はい
6 さくばん
7 こま(った)
8 ずのう
9 みおさ(め)
10 まいきょ
11 おさな(い)
12 みと(め)
13 はんちょう
14 さば(く)
15 はいく
16 しおかぜ
17 とくはいん
18 せ
19 すじ
20 ふ(り)

9「見納め(みおさめ)」は、見ることができる最後の機会のこと。

10「枚挙(まいきょ)」は、一つ一つ数え上げること。

12「認め印(みとめいん)」は、あまり重要でない書類に押(お)す略式のはんこ。

14「裁く(さばく)」は、争いごとの善悪を決めること。

17「特派員(とくはいん)」は、主に新聞や雑誌などから外国に派遣(けん)される記者のこと。

(二) 部首と部首名

各1点 計10点

部首や部首名は解答の補足です

1 お 刀
2 コ かたな
3 こ 木
4 ア きへん
5 え 言
6 イ ごんべん
7 く 衣
8 ケ ころも
9 あ 日
10 エ ひへん

(三) 画数

各1点 計10点

1 11
2 15
3 3
4 9
5 7
6 13
7 9
8 13
9 10
10 13

(四) 漢字と送りがな

各2点 計10点

1 疑(うたが)わしい
2 除(のぞ)く
3 延(の)ばす
4 映(うつ)る
5 割(わ)れる

(五) 音と訓

各2点 計20点

1 イ 台所(ダイどころ)
2 ア 住民(ジュウミン)
3 ウ 鼻息(はないき)
4 エ 足代(あしダイ)
5 エ 帯状(おびジョウ)
6 ア 内蔵(ナイゾウ)
7 ウ 河辺(かわべ)
8 イ 両側(リョウがわ)
9 ア 装置(ソウチ)
10 ウ 初雪(はつゆき)

(六) 四字熟語

各2点 計20点

グレーの部分は解答の補足です

1 賛否両論(さんぴりょうろん)
2 針葉樹林(しんようじゅりん)
3 一列縦隊(いちれつじゅうたい)
4 収容能力(しゅうようのうりょく)
5 月刊雑誌(げっかんざっし)
6 異口同音(いくどうおん)
7 熟練選手(じゅくれんせんしゅ)
8 野外劇場(やがいげきじょう)
9 単純明快(たんじゅんめいかい)
10 公衆道徳(こうしゅうどうとく)

1 賛成と反対の両方の意見。
2 杉(すぎ)などの細長い葉をもつ樹木のこと。
3 進行方向に対して縦に一列に並んだ隊形のこと。
4 建物が人や物を中にいれることができる容量のこと。
5 毎月一回発行する雑誌。
6 多くの人が、口をそろえて同じことを言うこと。
7 高度な経験や技能をもつ選手のこと。
8 屋外にある劇場のこと。
9 簡単でわかりやすいこと。
10 お互(たが)い迷惑(わく)をかけないために、守るべき事柄。

(七) 対義語・類義語 各2点 計20点

グレーの部分は問題の熟語です

1 入室⇔退室
2 死亡⇔誕生
3 子孫⇔祖先
4 平易⇔難解
5 生花⇔造花
6 要点＝骨子
7 寸時＝一刻
8 帰国＝帰郷
9 力量＝能力
10 主張＝提唱

6「骨子」は、話などの大事な部分のこと。
7「寸時」は、僅かな時間のこと。
10「提唱」は、ある主張などを唱え発表すること。

(八) 熟語作り 各2点 計10点

1 カ エ 誤解
2 ウ コ 特権
3 オ ク 源泉
4 キ ア 利己
5 ケ イ 憲法

(九) 熟語の構成 各2点 計20点

1 エ
2 イ
3 ウ
4 ウ
5 イ
6 エ
7 ウ
8 ア
9 イ
10 ウ

保健 保(つ)↑健(康を)
破損 どちらも「こわす」の意味。
胸中 胸(の)↓中
米俵 米(の)↓俵
草創 どちらも「はじまり」の意味。
洗車 洗(う)↑車(を)
視力 視(見る目の)↓力(能力)
損得 損(する)↕得(する)
規則 どちらも「きまり」の意味。
母乳 母(の)↓乳

(十) 同じ読みの漢字 各2点 計20点

グレーの部分は解答の補足です

1 供
2 共(食い)
3 胃(酸)
4 異(常)
5 (大)将
6 証(書)
7 (自)己
8 故(障)
9 警(護)
10 (尊)敬

9「警護」は、危険のないように、よく注意して守ること。

(十一) 漢字 各2点 計40点

グレーの部分は送りがなです

1 危(なげ)
2 俵
3 絵巻物
4 机
5 干(し)
6 裏
7 株主
8 吸(い)
9 忘(れ)
10 県庁
11 翌日
12 感激
13 宙
14 価値
15 暖色
16 別段
17 忠告
18 帰宅
19 負担
20 腹

3「絵巻物」は、物語や伝説などを絵と文で表し、巻き物にしたもの。
13「宙にうく」は、物事が中途半端なままであること。
20「腹の虫が治まらない」は、腹が立ってどうにも我慢できないこと。

(一) 読み 各1点 計20点

グレーの部分は解答の補足です

1 し(まった)
2 ほきゅうろ
3 かいこ
4 でんじは
5 へいか
6 かたぼう
7 ふんき
8 そ(って)
9 ちゅうふく
10 あんぴ
11 すがた
12 ひぞう
13 ひはん
14 わたくし・わたし
15 きはつ
16 わか(い)
17 す(て)
18 ざっこく
19 いた(る)
20 あな

2「補給路(ほきゅうろ)」は、足りない分を補うための道。

6「片棒(かたぼう)をかつぐ」は、計画などに加わって協力すること。主に悪事を行う場合に対して使う。

10「安否(あんぴ)」は、無事かどうか。

12「秘蔵(ひぞう)」は、大事にしまっておくこと。

18「雑穀(ざっこく)」は、米・麦以外の穀類のこと。豆・ソバなど。

(二) 部首と部首名 各1点 計10点

部首や部首名は解答の補足です

1 こ 一
2 キ いち
3 く 艹
4 コ くさかんむり
5 か 片
6 ケ かたへん
7 あ 大
8 イ だい
9 え 衤
10 エ ころもへん

(三) 画数 各1点 計10点

1 6
2 9
3 6
4 12
5 3
6 8
7 5
8 13
9 4
10 9

(四) 漢字と送りがな 各2点 計10点

1 染(そ)まる
2 危(あぶ)ない
3 済(す)ます
4 困(こま)る
5 訪(たず)ねる

(五) 音と訓 各2点 計20点

1 エ 湯茶(ゆチャ)
2 エ 黒字(くろジ)
3 ア 預金(ヨキン)
4 ウ 虫歯(むしば)
5 イ 茶柱(チャばしら)
6 ウ 炭火(すみび)
7 ウ 男前(おとこまえ)
8 ア 宇宙(ウチュウ)
9 ア 名詞(メイシ)
10 イ 毎朝(マイあさ)

(六) 四字熟語 各2点 計20点

グレーの部分は解答の補足です

1 映画俳優(えいがはいゆう)
2 署名運動(しょめいうんどう)
3 産業革命(さんぎょうかくめい)
4 南西諸島(なんせいしょとう)
5 蒸気機関(じょうききかん)
6 除草作業(じょそうさぎょう)
7 針小棒大(しんしょうぼうだい)
8 簡易書留(かんいかきとめ)
9 責任分担(せきにんぶんたん)
10 中傷記事(ちゅうしょうきじ)

1 映画に出演する俳優のこと。
2 個人や団体が社会問題などに関する意見や主張について、多数の者から署名を集めること。
3 技術の発展による手工業から機械工業への大きな変化のこと。
4 九州の南の端(はし)から連なる沖縄などの多数の島のこと。
5 蒸気の力を利用して機械などを動かす仕組み。
6 草を取り除く作業のこと。
7 針くらい小さいことを、棒のように大きいことのように言うこと。
8 郵便物や荷物などの引き受けと配達だけを記録する書留郵便。
9 責任を複数人で分担しあうこと。
10 根拠(きょ)のないことをいって人を傷つける記事のこと。

問題は本冊 P88～93

(七) 対義語・類義語

各2点 計20点

グレーの部分は問題の熟語です

1 発病⇔全快
2 母国⇔異国
3 満潮⇔干潮
4 人工⇔自然
5 原料⇔製品
6 努力＝勤勉
7 護衛＝警備
8 辞任＝引退
9 感動＝感激
10 土台＝基本

6「勤勉」は、一生懸命勉強したり、働いたりすること。

7「護衛」は、対象に付き添って身の回りを守ること。

(八) 熟語作り

各2点 計10点

1 カ コ 座長
2 イ オ 降参
3 ケ キ 独裁
4 エ ア 骨子
5 ク ウ 深刻

(九) 熟語の構成

各2点 計20点

1 イ
2 ウ
3 ア
4 ウ
5 エ
6 ア
7 ア
8 イ
9 ウ
10 エ

談話 どちらも「はなす」の意味。
恩師 恩(のある)↓(教)師
長短 長(い)⇕短(い)
共著 共(に)↓著(あらわす)
失策 失(敗する)↑策(方法を)
取捨 取(る)⇕捨(てる)
寒暖 寒(い)⇕暖(かい)
誕生 どちらも「うまれる」の意味。
悲劇 悲(しい)↓劇
着席 着(く)↑席(に)

(十) 同じ読みの漢字

各2点 計20点

グレーの部分は解答の補足です

1 寄(り)
2 呼(び)
3 (観)衆
4 就(職)
5 現(場)
6 厳(禁)
7 経(験)
8 (家)系
9 孝(行)
10 (温)厚

3「観衆」は、見物に集まった大勢の人のこと。

8「家系」は、先祖から代々続く家の系統のこと。

(±) 漢字

各2点 計40点

グレーの部分は送りがなです

1 誤用
2 舌
3 紅葉
4 値段
5 穴
6 敬(い)
7 筋
8 探(す)
9 盛(り)
10 供
11 牛乳
12 海難
13 砂糖
14 悪党
15 検討
16 発展
17 痛(み)
18 射(た)
19 絶頂
20 障子

1「誤用」は、間違った使い方のこと。

12「海難」は、航海中に起こる事故や災害のこと。

20「かべに耳あり、障子に目あり」は、隠しごとをしようとしても、どこでだれが何を見たり聞いたりしているかわからないということ。

問題は本冊 P94~99

(一) 読み

グレーの部分は解答の補足です　各1点 計20点

1 あず(けて)
2 ぼうめいしゃ
3 ちょうほう
4 なみ
5 すうち
6 わす(れ)
7 てんまく
8 たず(ねる)
9 みっせい
10 あぶ(ない)
11 たまご
12 まい
13 たて
14 ゆうびんきょく
15 したが(って)
16 どうめいこく
17 おさ(まった)
18 そらもよう
19 そうばん
20 われ

3「重宝(ちょうほう)」は、ここでは便利なものとして使うこと。同じ意味で「調法」とも書く。

7「天幕(てんまく)」は、テントのこと。

16「同盟国(どうめいこく)」は、共通の目的のために同じ行動をとることを約束した国のこと。

18「空模様(そらもよう)」は、天候の様子の比喩(ゆ)的な表現のこと。

(二) 部首と部首名

部首や部首名は解答の補足です　各1点 計10点

1 あ 金
2 コ かねへん
3 お 亠
4 ア なべぶた けいさんかんむり
5 き 皿
6 キ さら
7 く 日
8 オ ひ
9 け 心
10 イ こころ

(三) 画数

各1点 計10点

1 4
2 9
3 5
4 15
5 2
6 6
7 7
8 12
9 1
10 12

(四) 漢字と送りがな

各2点 計10点

1 敬(うやま)う
2 乱(みだ)れる
3 幼(おさな)い
4 供(そな)える
5 勤(つと)める

(五) 音と訓

各2点 計20点

1 イ 定宿(ジョウやど)
2 エ 湯気(ゆゲ)
3 ア 異動(イドウ)
4 ア 遺伝(イデン)
5 イ 真打(シンうち)
6 ア 乳児(ニュウジ)
7 ウ 家路(いえじ)
8 ウ 道草(みちくさ)
9 ウ 巻物(まきもの)
10 エ 弟分(おとうとブン)

(六) 四字熟語

グレーの部分は解答の補足です　各2点 計20点

1 座席指定(ざせきしてい)
2 推理小説(すいりしょうせつ)
3 内閣改造(ないかくかいぞう)
4 道路寸断(どうろすんだん)
5 親善大使(しんぜんたいし)
6 新約聖書(しんやくせいしょ)
7 空前絶後(くうぜんぜつご)
8 自己暗示(じこあんじ)
9 処女航海(しょじょこうかい)
10 専門科目(せんもんかもく)

座る席が決められていること。

事件の謎(なぞ)を推理する内容の小説。

内閣総理大臣が任期の途(と)中で内閣を構成する大臣を入れ替えること。

道路がずたずたに切れること。

国や地域の外部の国や地域に対する文化交流の発展のために任命される役職のこと。

キリスト教の経典の一つ。

今までになく、これからもないと思われる、非常に珍しいこと。

自分で思いこむことにより、物事があたかも存在しているように認識すること。

船にとっての初めての航海のこと。

大学の授業の種類の一つ。

(七) 対義語・類義語　各2点 計20点

グレーの部分は問題の熟語です

1 読者⇔著者
2 外出⇔帰宅
3 用心⇔油断
4 自分⇔相手
5 実習⇔講義
6 容易＝簡易
7 区分＝分割
8 質問＝質疑
9 大切＝貴重
10 異議＝異論

6「容易」は、たやすいこと。

8「質疑」は、疑問な点を尋ねること。質問。

10「異議」は、人と違った意見や考え。

(八) 熟語作り　各2点 計10点

1 ケ ア 視界
2 エ イ 至高
3 キ ウ 私的
4 カ ク 日誌
5 オ コ 姿勢

(九) 熟語の構成　各2点 計20点

1 ウ
2 イ
3 ア
4 イ
5 ア
6 エ
7 エ
8 ウ
9 イ
10 ア

燃料 燃(やす)↓(材)料
展開 どちらも「ひろがる」の意味。
公私 公(おおやけ)⬍私(わたくし)
表現 どちらも「あらわす」の意味。
問答 問(い)⬍答(え)
納税 納(める)↑税(を)
延期 延(ばす)↑期(日を)
牛乳 牛(の)↓乳
均等 どちらも「ひとしい」の意味。
得失 得(る)⬍失(う)

(十) 同じ読みの漢字　各2点 計20点

グレーの部分は解答の補足です

1 鉱(山)
2 紅(潮)
3 奮(って)
4 古(い)
5 (改)宗
6 修(理)
7 (楽)器
8 危(険)
9 混(雑)
10 困(難)

2「紅潮」は、顔が赤くなること。

5「改宗」は、今まで信じていた宗教から別の宗教へ変わること。

(十一) 漢字　各2点 計40点

グレーの部分は送りがなです

1 刻(む)
2 厳(しい)
3 誤(り)
4 恩師
5 訳
6 痛感
7 呼(び)
8 届(いた)
9 灰皿
10 源流

---

11 絹
12 机
13 班別
14 俳句
15 棒読(み)
16 背景
17 運賃
18 特派員
19 官庁
20 穴

15「棒読み」は、漢文を読む際に、返り点に従わずそのまま読むこと。また、抑揚などを無視して単調に読むこと。

16「背景」は、絵や写真などの背後の様子のこと。また、ある人物や事件の背後にあるもののこと。

20「同じ穴のむじな」は、一見関係がないように見えて、実は同類であること。

問題は本冊 P100〜105

(一) 読み

グレーの部分は解答の補足です　各1点 計20点

1 うらおもて
2 はげ(しく)
3 せいりけん
4 いちりつ
5 かんか
6 いよく
7 おさな
8 らんりつ
9 きず
10 りんかい
11 あら(う)
12 けつろん
13 のぞ(く)
14 ろうろう
15 くろざとう
16 うんちん
17 ばり
18 かいらんばん
19 さいひ
20 たまご

4 「一律(いちりつ)」は、同じ調子で変化がないこと。
5 「看過(かんか)」は、見逃(のが)すこと。
8 「乱立(らんりつ)」は、不規則に立ち並ぶこと。
19 「採否(さいひ)」は、採用するかしないかということ。

(二) 部首と部首名

部首や部首名は解答の補足です　各1点 計10点

1 お 臣　2 コ しん
3 き 卩　4 イ わりふ ふしづくり
5 こ 幺　6 エ いとがしら よう
7 い 衣　8 カ ころも
9 か 羽　10 ケ はね

(三) 画数

各1点 計10点

1 11
2 12
3 10
4 11
5 8
6 13
7 5
8 8
9 10
10 11

(四) 漢字と送りがな

各2点 計10点

1 届(とど)ける
2 済(す)ます
3 刻(きざ)む
4 裁(さば)く
5 難(むずか)しい

(五) 音と訓

各2点 計20点

1 イ 派(ハ)手(で)
2 エ 雨(あま)具(グ)
3 イ 本(ホン)箱(ばこ)
4 エ 梅(うめ)酒(シュ)
5 ウ 米(こめ)俵(だわら)
6 ア 郷(キョウ)土(ド)
7 ウ 背(せ)中(なか)
8 ア 脳(ノウ)天(テン)
9 ウ 波(なみ)風(かぜ)
10 ア 五(ゴ)枚(マイ)

(六) 四字熟語

グレーの部分は解答の補足です　各2点 計20点

1 器械体操(きかいたいそう)
2 宅地造成(たくちぞうせい)
3 半信半疑(はんしんはんぎ)
4 宣伝効果(せんでんこうか)
5 平和憲法(へいわけんぽう)
6 雨天順延(うてんじゅんえん)
7 存在価値(そんざいかち)
8 安全装置(あんぜんそうち)
9 蒸気機関(じょうききかん)
10 党首会談(とうしゅかいだん)

1 跳(と)び箱、鉄棒などの器械を使って行う体操。
2 農地や山林を、住宅用に平らな土地にすること。
3 半分は信じ、半分は疑っていること。
4 製品の効果などを一般(ぱん)に広く知らしめることの効果のこと。
5 日本国憲法のこと。
6 雨のために、期日を順に先に延ばすこと。
7 ある人物や物が存在する価値のこと。
8 危険が生じないように取り付けた装置。
9 蒸気の力を利用して機械などを動かすしくみ。
10 政党の代表者が話し合いを行うこと。

(七) 対義語・類義語 各2点 計20点

グレーの部分は問題の熟語です

1 寒冷⇔温暖
2 本物⇔模造
3 快楽⇔苦痛
4 中止⇔続行
5 団体⇔個人
6 預金＝貯金
7 歴史＝沿革
8 革新＝改革
9 外国＝異国
10 利害＝損得

7「沿革」は、物事の移り変わりのこと。
8「改革」は、改めて新しくすること。
10「利害」は、利益と損害のこと。

(八) 熟語作り 各2点 計10点

1 オ ク 熟練
2 カ ウ 収支
3 キ ケ 純情
4 コ イ 処分
5 エ ア 衆議

(九) 熟語の構成 各2点 計20点

1 ウ
2 ア
3 エ
4 イ
5 ウ
6 エ
7 エ
8 イ
9 ア
10 ウ

食欲 食（食物を）↓欲（する）
売買 売（る）⇕買（う）
退院 退（く）↑院（病院を）
皮革 どちらも「かわ」の意味。
若者 若（い）↓者（人）
閉館 閉（める）↑館（図書館、博物館などを）
除雪 除（く）↑雪（を）
田畑 どちらも「農地」の意味。
勝敗 勝（ち）⇕負（け）
班長 班（の）↓長（いちばん上の地位）

(十) 同じ読みの漢字 各2点 計20点

グレーの部分は解答の補足です

1 （指）示
2 磁（気）
3 値
4 音
5 支（社）
6 視（点）
7 郷（土）
8 供（給）
9 異（議）
10 移（動）

4「笛の音・虫の音」などの場合は、「おと」と読まず、「ね」と読む。
7「郷土」は、生まれ育った土地のこと。

(十一) 漢字 各2点 計40点

グレーの部分は送りがなです

1 宇宙
2 株
3 納（め）
4 忠誠
5 砂
6 背
7 困（り）
8 拝（んだ）
9 骨身
10 認（め）
11 権利
12 舌
13 補習
14 秘密
15 陛下
16 奮発
17 中腹
18 拡大
19 樹立
20 危（ない）

9「骨身をおしまず」は、苦労を嫌がらずという意味。
12「舌が肥える」は、おいしい食べ物についてくわしいこと。
16「奮発」は、気力を奮い起こすこと。思い切りよくお金を出すこと。

MEMO

MEMO

矢印方向に引くと別冊の解答・解説が外れます。▶